アジア太平洋資料センター 編

藤原辰史
中山智香子
姜乃榮
下郷さとみ
稲場雅紀
斎藤幸平
内田聖子
井田徹治
岸本聡子
大江正章

コロナ危機と未来の選択

パンデミック・格差・気候危機への市民社会の提言

コモンズ

はじめに

2020年4月、出口の見えない暗闇に投げ出されたような感覚を多くの人が共有していた。

世界では1月以降、日本では3月に入ってから、新型コロナウイルスの感染は拡大の一途をたどり、各国で国境や県境を越える移動制限やロックダウン(日本では緊急事態宣言)、営業時間規制などが次つぎととられていった。

「敵」は会ったことも見たこともなく、触れて感じることもできないウイルスだ。検査体制の不足やデータの不透明性、医療崩壊への懸念、そして経済的な打撃への不安が最大限に高まっていた4月7日、政府は緊急事態宣言を出した。

幸い、日本は他国と比べれば感染者数・死亡者数とも低い水準で今日まで来ている。しかしパンデミックはどの国においても、その社会が持つ弱みと問題を容赦なくあぶり出した。医療体制は十分か、それを支える医療従事者やケア・ワーカーはきちんと保護され、適正な報酬をもらえているか、科学的知見に基づく政策が立てられているか、人びとに透明性ある説明はなされているか、危機の際に最も脆弱な人びとをとりこぼしてはいないか、国際的な協力は目指されているか、そしてこれらすべてを含む判断と役割を、政府や議会は行っているか。

一方、人びとの側にも問題は突きつけられた。安穏と暮らしていた日々は一転し、テレワークや「自粛」が強いられた。こうした中、私たち自身、エッセンシャル・ワーカーへの連帯を表したり、孤独や経済苦にあるシングルマザーや学生、非正規労働者、外国人を取り残さないよう行動しただろうか。そして、いままでの生活や経済のあり方を根本から疑ってみることはできただろうか。

特に日本では、「新型コロナウイルス感染は自業自得」と答える人の割合が、米国・英国などと比べると10倍も多いという衝撃的なデータもある（大阪大学・三浦麻子教授らによる日米英伊中の5カ国調査。２０２０年6月公表）。新自由主義が強いる「自助」と「自己責任」のイデオロギーは世界中に染み渡っているが、私たちはコロナ禍の中でそれを跳ね返し、ケアし・ケアされるという本来人間が持つ豊かな営みを取り戻せてきたか。


アジア太平洋資料センター（ＰＡＲＣ）は、南と北の人びとが対等・平等に暮らせる世界をつくるために調査研究・政策提言、市民教育などを行うＮＧＯ・ＮＰＯである。新型コロナウイルスは、まさに私たちが長年問題提起をしてきた、グローバル経済の矛盾と限界、人権・環境・開発の課題をすべて含み込みながら登場してきたようなものだ。この危機に際し、どのように考え行動をとるべきか、私たち自身のありようも問われた。

社会全体が不安と不信の中で「自粛」を余儀なくされたとき、最も懸念したのは、市民社会スペースまでもが「萎縮」してしまうことだった。集会やデモもできない状態であり、私たちの活動の重要な柱である市民講座「ＰＡＲＣ自由学校」も、多くの講座で対面式での開催が不可能となった。人と人が出会って一緒に作業をしたり議論をすることが市民社会の魅力であり活動の原動力でもあるが、その多くを断念せざるをえなかった。

試行錯誤の末、私たちは5月から「ＣＯＶＩＤ-19時代を生きる」というオンラインでの連続オープン講座をスタートさせた。歴史、経済、医療、人権、環境、各国の状況など毎回さまざまな切り口でコロナ時代の論点を議論し、計10回を重ねた。本書は、ここで登場いただいた講師のうち10名の講義録を基に「提言」として編み上げたものである。

第1章では、藤原辰史さんと中山智香子さんに、新型コロナウイルスを歴史的な視野から改めて位置づけていただいた。100年前のスペイン風邪（スパニッシュ・インフルエンザ）の教訓は何か、また経済史の中でいま私たちはどのような地点に立ってコロナ禍に直面しているのか。基本的な視座として皆さんとぜひ共有したいところだ。

第2章は、日本以外の国の感染状況と政府・自治体による対応について、市民社会・社会運動の視点から3名の方に報告をしていただいた。コロナ対策のお手本とされた韓国についてはソウル在住の姜乃榮（カン・ネヨン）さんに、米国に次いで感染者が多いブラジルについては下郷さとみさんに、そしてコロナ以前に貧困や他の感染症にも対応しなければならないアフリカ各国の状況については稲場雅紀さんにお願いした。ともすれば日本国内だけに目が行きがちな中、各国の市民と連帯すること、また日本のコロナ対策の問題点を考える上でも重要な報告だ。

第3章では、山積する課題を前に、私たちは何を糸口にどのように未来を描いていけるか、5名の方に提言いただいた。まず、斎藤幸平さんにポスト資本主義のビジョンを〈コモン〉の復活という観点から論じていただいた。内田は新自由主義のもとでの自由貿易を根本的に見直すことについて、井田徹治さんは生態系の回復と気候危機への対応という面から提起をした。岸本聡子さんには、10年ほど前からヨーロッパで顕著に見られる「ミュニシパリズム（地域自治主義）」の動向から、「生活の政治」を取り戻す市民の実践を報告いただいた。

提言の最後は、コロナに最も脆弱だった都市一極集中社会の問題、そしてその解決策としての「都市農村共生社会」について、ＰＡＲＣ共同代表の大江正章さんに提言いただいた。大江さんは、闘病中であった２０２０年9月に講義をした後、12月15日に逝去された。人が生きる上で不可欠な「食」と、それを生み出す農業、その基盤となる地域づくりの大切さは、大江さんが生涯こだわり伝えてきたメッセージだ。

新型コロナウイルスの感染は、おそらく今後数年単位で続いていくだろう。その後も、コロナに重なって別の「何か」が危機として現れる可能性はきわめて高い。今回のパンデミックは、それまで連綿とつくられてきた世界の経済、社会、人間と自然との関わりの問題の上に生じた。私たちは本当の意味で強靭で、公正で、持続可能な世界を実現していかなければならない。その際、本書が多くの人の指針の一つとなれば幸いである。

２０２１年3月20日

内田聖子

第1章
私たちはどこに立っているのか

災いはどこへ濃縮されていくのか

——歴史研究から見た新型コロナウイルス

藤原辰史

災厄は、すべての人間に平等に害を与えるものではない。

今回の新型コロナウイルスは、歴史的にとらえていかなければ見誤ってしまう危険性がある。できる限り広い視野と長いスパンで、いま起こっていることを考えていくために、「災いはどこへ濃縮されていくのか——歴史研究から見た新型コロナウイルス」というテーマで考えてみよう。

「濃縮」という言葉は、生態学の用語に出てくるものだ。生態系のある部分が汚染されたとき、食物連鎖を通じて生物濃縮が起こり、最終的な捕食者の体内で毒が強くなっていく。これは生物学的な問題だが、社会的な面でも似ている。ただし、人間の場合は社会的に弱い立場にあればあるほど問題とそれがもたらす害の濃度が濃くなっていく。感染症という例をとってみても、病原体の前では万人は平等だとはいえ、人間と毒の間に社会の階層や権力関係が挟まれると、影響はどこかに集中的に溜まっていく。

たとえば、ひとり親世帯はどういう状態に陥っているだろうか。コロナ禍で親が発熱した場合、親子ともに激しい不安に駆られるだろう。「入院したらこの子の面倒は誰が見るのか」「お母さんがいないのにどうやってご飯を食べるのか」と。しかしよく考えれば、ひとり親世帯の親子が持つこうした恐怖感は、コロナ禍の以前からごく当たり前の日常の感覚としてあったものである。非正規雇用の若者や女性、ひとり暮らしの高齢者などさまざまな階層の人にとっても同様だろう。

こうした社会的に弱い立場に置かれている人たちがその不安や窮状をインターネットのＳＮＳで口にするだけで、「被害者意識が強すぎる」「（給付金などを）〝くれくれ〟とばかり言うな」などの自己責任論が吹き荒れ、すさまじいバッシングが起こった。ちょうど東日本大震災のときの避難者に向けられた言葉と同じように。これはもともとあった風潮がコロナ禍でさらに増幅されたものだが、これが私の言う災いの「濃縮」というものの姿である。

歴史研究の中の感染症

さて、感染症の歴史研究はとても盛んである。私は感染症史の専門家ではないが、多くの本から学んできた。たとえば、農耕社会が誕生し、都市が生まれ人が密集して暮らすようになったことの一つの結果として、感染症が登場したことは歴史の基礎的な事実である。

また今回、非常に多くの人に読まれた科学史家・村上陽一郎の『ペスト大流行――ヨーロッパ中世の崩壊』（岩波新書、１９８３年）という本もある。14世紀に「黒死病」と言われるペストが流行した際、ユダヤ人の大量虐殺がヨーロッパ中で行われている。「ユダヤ人が災厄をもたらした」「ユダヤ人が井戸に毒を放り込んだり病原菌をばらまいた」という言説が流布され、激しい「虐殺運動」が起こった。私たちはこの民衆暴力がエスカレートした歴史を忘れてはならない。

植民地が形成されていく過程でも、感染症は大きな役割を果たしてきた。米国の環境史家のアルフレッド・Ｗ・クロスビーは、『ヨーロッパ帝国主義の謎――エコロジーから見た10～20世紀』（佐々木昭夫訳、岩波書店、1998年)の中で、スペイン、ポルトガルが覇権を握っていく過程で、家畜と雑草と作物が環境要因として大きな役割を果たしてきたと指摘している。それらだけではない。スペインが他国を占領していく過程で天然痘が現地にもたらされて、銃や火器よりも大きな力を持ったことにも言及している。

つまり感染症による支配・被支配の関係の定着というものも、世界史の中では重要な要素として論じられている。さらに、植民地支配をする側が現地の感染症と格闘せざるをえなかったという中で、「植民地医学」というものも確立されていった。このような歴史研究は今回のコロナウイルスを考える場合に大きなヒントを与えてくれる。

「肺」と「胃」のグローバル・ウォーとしての第一次世界大戦

災厄がどこに「濃縮」されていくのかという問題について、私が注目しているのは第一次世界大戦の最終年1918年の春から20年までの3年間、世界中を席巻したスパニッシュ・インフルエンザ(スペイン風邪)である。100年前に世界中に広がり、死者4000万人から1億人、つまり世界の18~20人に1人が亡くなった。

第一次世界大戦はダイナミックに歴史を変えるものだった。そのキーワードは「肺」と「胃」だ。この二つの臓器から見ると、そのインパクトがよく分かる。

まず肺については、第一次世界大戦で初めて使われた大量殺戮のための武器に毒ガスがある。最初に普及した毒ガスはフォスゲンという窒息剤だが、これは最終的に肺に水が溜まり窒息させていく武器だ。つまり戦場ではすでに肺がやられる危険性が大きな問題となっていたところに、スパニッシュ・インフルエンザが流行したのである。新型コロナウイルスと同様、スパニッシュ・インフルエンザも肺を強襲し、その後にあらゆる臓器を破壊し、脳にまで影響を与える非常に激しい症状をもたらした。

当時の様子を描いた米国の科学史家ジョン・バリーの『グレート・インフルエンザ』（平澤正夫訳、ちくま文庫、2021年）によると、インフルエンザによる死者を解剖した医師によれば、肺はいままで見たことがないほど傷ついており、毒ガスをくらった兵士と同じように肺がぐちゃぐちゃになっていた、というようなことが記録されている。いま、新型コロナウイルスでも「肺にガラスが刺さったような痛みだ」と言われているが、それと同様の状態だったと言える。

また当時も、スパニッシュ・インフルエンザは、差別されたり周辺化されたりしてきた人たちを直撃した。特に、鉱山や炭鉱で働いていた人たちへの影響は甚大だった。ベルギー領コンゴでは膨大な数の黒人労働者が死亡し、ペルーの鉱山でも同様のことが生じた。米国の炭鉱地帯では、両親をスパニッシュ・インフルエンザで亡くした200人の孤児が生まれた。炭鉱労働者たちはもともと日常的に粉塵によって肺を痛めており、そこにスパニッシュ・インフルエンザが蔓延し、死亡率が上がったのである。これも「濃縮」の歴史の一つであり、人間がみな平等に被害を受けていたわけではないという事例にほかならない。

次に胃袋についてだが、第一次世界大戦は飢えの戦争、胃袋の危機だった。戦中は塹壕《ざんごう》戦があまりに激しくなり膠着状態に陥ったため、女性や子ども、お年寄りなど銃後の人びとを攻撃しない限り戦局が動かないということで、イギリスは海上封鎖の策に出る。南北アメリカの中立国から敵国に食料が渡らないようにするために、当時世界一のイギリス海軍を使って、中立国からの食料輸送船の拿捕《だほ》を始めたのだ。これによってドイツ、ハンガリー、オーストリア、ハプスブルク帝国が飢えていった。

これに対し、ドイツは潜水艦で対抗し、イギリス、フランスでも食料危機に陥っていくのだが、両国は当時の植民地の東南アジアから食料を移入しようとした。その結果、東南アジアの米価が上昇していく。日本もタイやビルマ、仏領インドシナからインディカ米を輸入して貧困層が食べていたが、その値段が上がり、国産米の値段も上がっていった。実はこれが米騒動の前触れにあたる。

第一次世界大戦は「フード・ウォー(食の戦争)」とも呼ばれるように、食糧危機に陥るドイツとは異なり、イギリス、フランス軍の背後にはカナダ、米国という農業大国が控えていて、そこには圧倒的な食料の差があった。それほど胃袋が重要だったということだ。

そして、銃後の人も兵士も飢える中で、ヨーロッパにスパニッシュ・インフルエンザが上陸し、栄養失調に陥っていた民衆や兵士たちを直撃していく。これがおそらくスパニッシュ・インフルエンザの大流行の一つの重要な条件だった。こう考えると日本、米国、オーストラリア、ニュージーランドも参戦した100年前の第一次世界大戦は、すでにグローバルな戦争、グローバルな危機だったと言えるだろう。

スパニッシュ・インフルエンザの長期性と脆弱な人びとへの影響

スパニッシュ・インフルエンザと新型コロナウイルスを比較してみると、死亡率は圧倒的に前者の方が高い(表1)。しかしながら、新型コロナウイルスによる米国の死者はすでにベトナム戦争の死者を超え、感染率が今後も高まる可能性が十分にある。また、今回のパンデミックは、人類史上初めて、ロックダウン(都市封鎖)をしたり、移動制限をしたりして感染拡大を大規模に制御しようとした。これが短期終息をもたらすか、長期戦をもたらすかは、まだ分からない。

スパニッシュ・インフルエンザは、第一次世界大戦の最終年である1918年から20年にかけて、3回

表1　スパニッシュ・インフルエンザと新型コロナウイルスの比較

	スパニッシュ・インフルエンザ（1918-1920）	新型コロナウイルス（2020-）
世界の人口と犠牲者	18億人（死者4000万人から1億人）世界の18-20人に1人が亡くなった	77億人（2021年2月22日現在で死者は246万人）
「運び屋」	第一次世界大戦の兵士	ツーリストなど
リスクにさらされやすい人	低所得者、清掃業者、ケア労働従事者、元気な若者など	低所得者、清掃業者、ケア労働従事者、高齢者など
医療技術	ウイルスが病原体と分かっていない段階、初期はマスクも重視されず。ワクチンも多少は効果があったが、万能ではなかった。	遺伝子解析まで終了。ワクチンの生産。ただし、防護服などの不足。
止めるのが難しい大きな出来事	第一次世界大戦、講和条約	オリンピック、「経済活動」
複合禍	ヨーロッパの飢餓、貧困	貧困、地震、津波、台風、水害

（出典）各種資料より筆者作成

の波で世界を襲っている。イギリスでも、米国、フランス、ドイツなどでも3つの波があり、その影響は長期間に及んだ。

日本でも同様の波が起こった。歴史人口学者の速水融の『日本を襲ったスペイン・インフルエンザ――人類とウイルスの第一次世界戦争』（藤原書店、２００６年）によれば、横浜市の肺炎死亡者数については、１９１８年の10月から11月にかけて第一波が、19年1月から2月まで第二波が、20年の1月から2月まで第三波が襲っている。場所にもよるが、第二波、第三波の方が第一波よりも死亡者が多く、世界の傾向とも共通している。

重要なのはこの波と波の「はざま」である。つまり、感染が比較的収まって動きやすいときに次の感染に備えること、とりわけ医療現場の物資の充実と、医療従事者のケアの充実を優先すべきだということだ。これについてはパンデミックの歴史研究者たちが繰り返し指摘している。ところが新型コロナウイルスに関して、日本の対応はどうだっただろうか。第一波が収束した

2020年夏から冬までの間、医療の現場は病床が十分ではなく、政府の医療従事者へのケアや医療体制の整備も不十分であったと言わざるをえない。

スパニッシュ・インフルエンザの流行時、日本でもその影響はやはり一部に濃縮されていった。海外の事例と同様、スパニッシュ・インフルエンザの時期に鉱山の炭鉱労働者の間で急激に死者が増えている。また、当時の「帝国日本」は植民地支配をしていたが、日本内地と比べ、樺太、朝鮮、台湾の死亡率は比較的高いことに注目したい。日本内地は1000人あたりの死亡者が8・1人だったのに対し、植民地である樺太は35・4人、朝鮮は13・5人、台湾は13・4人である。同じ植民地内でも、たとえば台湾島内に住む内地人の1000人あたりの死亡者は10人を切っていたが、もともとの台湾住民は13人というように、明らかなインフルエンザ格差が生まれていた。前述の速水氏は、内地と植民地の間には、衛生面や医療アクセスに差があったのではないかと指摘している。

植民地を貫く支配・被支配という構造が、インフルエンザの平等性を打ち砕いていったケースは海外でも見られる。イギリスの植民地であったシエラレオネの港町では、多数のインフルエンザ患者が乗った船が入港したときに、植民地行政官がその人たちの検査をせずに上陸させてしまった結果、現地に感染が広がり2000人の死者を出した。スペインとフランスが共同統治していたタンジエでは、インフルエンザが蔓延した後3週間経ってようやく行政官が動き始めたが、放置され続けた地域では汚物が積み上がり悲惨な状態になっていたという記録もある。

新型コロナウイルスが問うもの

こうした歴史をふまえた上で、今回の新型コロナウイルスではどこに災厄が「濃縮」されているのだろうか。

まず日本では、非正規雇用労働者に新型コロナウイルス感染拡大のしわ寄せが大きくいっている。男性中心社会の暴力性も明らかになった。コロナ禍で女性の自殺率は増加し、またステイホームの中で女性へのDVも増加している。もともと不安定な雇用に就くことが多い女性たちが、コロナ禍の中で解雇されるケースも増えている。テレワークができない職種の人たちは生活の危機や感染の不安に直面している。医療や福祉や保育の現場で働く人、あるいは農業など第一次産業に携わる労働者や外国人労働者がいなければ、テレワークの仕事はそもそも成り立たない。にもかかわらず、そういったほとんどの労働者にとって、賃金や福利厚生は、働きやすく、暮らしやすいものでは到底なかったことが明らかになった。

国際通貨基金（IMF）の試算では、今後何の対策もなされない場合、5年間の不況が続き、日本は5・2%のマイナス成長になるとされる。こうした中、コロナ以前からあった派遣切りの増加と、それに伴う失業者・野宿者の増加が憂慮される。1929年10月に起こった世界恐慌の際、世界ではニューディールとナチズムが、日本では軍国主義が、そして第二次世界大戦への道へ多くの国が進んでいったという歴史を、私たちは想起しなければならない。

今回のようなパンデミック下では、カナダのジャーナリスト、ナオミ・クラインの言う「惨事便乗型資本主義」の動きにも警戒しなければならない。現在、政府はデジタル化を多くの分野で進めているが、その結果、監視社会を強化したり、そのインフラ整備を担うデジタル・キャピタリズムが多くの富を蓄積していくことが懸念される。

また、新型コロナウイルスが複合災害をもたらす脅威もある。ウイルスは単独で私たちを苦しめるのではなく、もともとあった何らかの問題とのコンビネーションで私たちを襲う。たとえば、コロナ禍が収束しない中で水害、大地震が起こったらどうするか、避難所やトイレ、食事はどうするのか、真剣に考えなければならない。

この複合危機として私が最も強調したいのが、「胃袋」の問題である。幸い、現時点で日本では大規模な食料不足は起こっていないが、コロナ禍が長期化すれば穀物輸出国の生産とそこから日本への流通がいままで通り進むという保証はない。これまで日本が農と食を軽視してきたツケが、私たちに回ってくることになるかもしれない。この問題は実に多岐にわたり、貿易交渉による日本の市場開放の問題や、食料自給率の恐ろしいほどの低さ、そして日本が大量の食料廃棄を続けているという問題もある。これらを一つひとつ、背景にある社会の仕組みからとらえ、未来のあるべき社会の姿を提案していかなければならない。

パンデミックの中での抵抗運動――私たちにとっての希望のありか

最後に、歴史の中で私たちが参照できる希望のありかを、それがたとえ小さなものであっても、探ってみたい。

実は、スパニッシュ・インフルエンザが大流行している最中であるにもかかわらず、民衆の異議申し立ての力は決して衰えていなかった。第一次世界大戦中に立ち上がった人びとは、栄養不足で病気にかかりやすい状態だったが、しかしその危険性よりも、戦争や政治によって自分たちの生命を危機に陥れる政府の存在を、より危険視したのである。歴史的に見ると、このスパニッシュ・インフルエンザの危機は、一方で劇的な社会変革を生み出した時代であったとも言えよう。

たとえば、ドイツ帝国では統治者のホーエンツォレルン家、オーストリア＝ハンガリー二重君主国ではハプスブルク家が、それぞれ革命や民族運動によって倒された。１９１９年の朝鮮半島での三・一独立運動も、朝鮮半島でインフルエンザの死者が続出した数カ月後に起こったことである。どちらの運動の主体も、胃袋と肺の危機に直面している人たちだったが、彼ら彼女らは決して権力者への異議申し立てを止めなかったのである。

これと同時代、日本は１９１８年から20年にかけて、日本列島各地で米価の高騰で困窮する労働者や生活者の抗議行動として米騒動が広がった。もちろん、これらはスパニッシュ・インフルエンザの流行中とはいえ、それが直接的な理由ではない。理由や経過は複合的なものであるが、生命の複合的な危機が大きな背景にあったことは事実だ。これがその後の日本や世界の政治の変革にどのような影響を与えたのかについては今後の研究が待たれるところだが、いずれにしても日本の米騒動はパンデミックの中で起こった世界的民衆運動の一つとして世界史の中に位置づけられる事柄だと私は考えている。

歴史を振り返れば、多数の人びとが生命の危機にさらされる事件が起こるたびに、その危機の前から医療や福祉、食糧がきちんと行き渡る仕組みだったのか、災害や経済危機に対応できる政治や社会だったのか、反省が迫られてきた。しかし、時間が経つにつれてそうしたことへの関心は薄くなり、スパニッシュ・インフルエンザの教訓も第一次世界大戦という大きな出来事の陰で忘却されていった。

さらに現在の日本では、言葉の破壊とも言える状況が見られ、政治家が答弁できなかったり嘘をついたりしてもまかり通るような事態が生じている。また人文学や文化の軽視も世界各地で問題となり、政治と経済に対する歴史的あるいは哲学的な観点からの考察や批判が希薄になっている。新型コロナウイルスを語る際にも、医学・疫学からの観点が不可欠であることはもちろんだが、しかし他方で、その言説はあまりに医学的・疫学的なもののみに偏りすぎていないか。本来であれば、いま、目の前にある危機はどこからどのように生じたものかという社会的・歴史的な視点がもっと私たちには必要であると感じる。たとえば国が設置する専門家会議にも、経済史や社会史、社会学などの研究者も入ってよいのではないだろうか。

言葉は、政治や人文学を担う者の生命でもある。破壊されつつある言葉への信頼を再び感じられるような空間をつくり直し、異なる意見や未知の知識に耳を傾け、多面的に物事をとらえながら、新型コロナウイルスが終息を迎えた後の社会を語っていきたい。

危機増幅のメカニズムから逃れるために

中山智香子

これは「経済の危機」なのか?

新型コロナウイルスの感染拡大を前に、私たちは何を「危機」としてとらえ、またその「危機」をどう克服していけばよいのか。

まず、確認しておきたいことがある。

一つは、新型コロナウイルスが登場する以前から、「グローバル・クライシス（危機）」は存在していたということだ。感染拡大や政府の措置など、目先で次つぎと事態が変化しているため、新たな危機が突然現れたように思ってしまう場合があるが、そうではない。コロナ禍以前から、グローバルな危機は、とりわけグローバル経済と国際社会の矛盾として私たちの前にすでに提示されていた。

市場や資本主義のもとでの経済活動は、国家の枠組みに縛られない形でグローバルに広がっていた。しかし、人びとはいきなり「世界市民」になって無国籍で活動することはできない。企業はどこかの国に法人登録され、租税の仕組みも国家単位である。グローバル経済と国民国家を単位とする国、そしてその集合体である国際社会との間のこの矛盾は、どうしようもない地点にまで達していたのだ。

たとえばその矛盾は、２０１６年にトランプ大統領が登場して以降の米国の動きに分かりやすく表れていた。20世紀以降続いてきた米国の覇権が力を失いつつある中で、衰退を後押しするような形でトランプ大統領は中国とぶつかりあった。この動きに世界中が翻弄され、一国では解決できない課題に本来対応すべき国際社会の足並みもそろわず、乱調状態だった。

確認すべきことのもう一つは、コロナ感染拡大は、そもそも経済の問題ではないということだ。１９７０年代以降に新自由主義が進む中、私たちはまるで株価が人びとの経済そのものであるかのように思わされてきた。どんな状況にあっても、株価の動きに一喜一憂し、「株価が上がれば経済は大丈夫」と国家の側も言い、私たちもそれに慣らされてきた。しかし、新型コロナウイルスの問題とは、人が肺炎になるという感染症の話であって、経済とは何の関係もない。にもかかわらず、それが経済の問題として認識されるような状況があった。

新自由主義がもたらした公的領域の縮小

その上で、私たちはコロナ禍で何に気づかされたのだろうか。

まず、感染症対策や医療体制が必須のときに、医療を支える公的領域が予算、人員ともに大幅に削減されていた。日本に限らず、世界中で新自由主義の潮流が広がり、気がつけばセーフティネットがすっかりなくなっていたのだ。

気候危機とそれに伴う自然災害の猛威も、私たちが直面する危機だ。近年は毎年、大雨では済まないレベルの水害が起こっていたが、対策や対応への予算や人員という公的部分が縮小されていた。気候危機に対しては、国連が持続可能な開発目標（ＳＤＧｓ）を掲げ、グレタ・トゥーンベリさん等、若者の運動もある。世界中の人びと、地域、企業も取り組み、グローバルな危機の解決に向けて動きつつあるが、日本は周回遅れでもたつき、あるいは逆の方向に進んでいた。そこへコロナ禍が追い打ちをかけ、極端な形で課題や問題が顕在化したのである。

今後コロナウイルスが収まるとしても、元の世界、コロナ以前の状態に戻ることが解決ではないと認識する必要がある。そもそもウイルス自体を完全に封じ込めることは不可能であり、今後長期にわたって、新型コロナウイルスを含めたウイルスと付き合っていかざるをえない。いままでの危機に加えて、ウイルスもいる世界のグローバル・クライシスを前提とし、対処しながら生きていかなければならないのだ。

グローバルな危機はなぜ起こるのか——ポランニーが提起した「大転換」

その際、いまこの日本の私たちはどこに立っているのか、また市民としてどのように行動していったらいいのか。それを探るために、過去の歴史の延長上に現在を置き、その上で未来を方向づけてみよう。

「危機」とは、人の命そして生活が脅かされている状態だ。グローバルな危機とは、さまざまな国のレベルを超えて、人びとの命や社会的生活が脅かされていることである。

いまから１００年ほど前、自由主義とマルクス主義の経済学を学び、同時代のグローバルな危機を分析した経済学者に、カール・ポランニーがいる。彼は、経済を経済だけの動きとしてではなく、政治や社会との関わりにおいてとらえ、危機に着目していた。

ポランニーの指摘で重要なのは、「危機」の内実、つまりその危機が何であるかを理解すれば、実はすでにその中に解決方法は含まれているというものだ。現実的な実行可能性はともかく、やるべきことは見えていることになる。

1944年の主著『大転換』(野口建彦ほか訳、東洋経済新報社、2009年)で、彼は危機が起こる理由を以下のように論じた。人間が労働力という虚構の商品(擬制商品)になってグローバル市場に投げ出され、グローバル経済が進んでいく。だが本来、人間は商品ではない。だから市場に商品として投げ出されることへの抵抗、たとえば社会保障や保険制度を求める動き、あるいは労働運動・社会運動などが起こる。ポランニーはこれを「社会の自己防衛」と呼び、社会が人間を商品化することへの違和感、商品になりきれない部分で生じる弊害から人間を守ろうとして、おのずと防衛するのだと見た。

一方、市場化は自然に進むわけではない。擬人的に言えば、市場の側こそ、国家に企業を支援させたり特区をつくらせたりと、制度も援用して市場化を進めようとする。

ポランニーは、この二つの動き、つまりグローバルな市場化、商品化の経済作用と人間社会の防衛という反作用によって、世界システムが揺さぶられ、引き裂かれることで危機が生じるのだと分析した。危機は、たとえば市場化だけが一方的に進み、人びとがただその流れに巻き込まれていくのではなく、流れにあらがおうとする力が生じるために現れてくる。

こうした作用と反作用の押し引きは、長い歴史上、何度も起こってきた。たとえば、第一次世界大戦に至るまでには、資本主義あるいは市場社会が進むことへの反作用として、社会主義や共産主義が生まれていた。危機の現れとして第一次世界大戦があり、その最中に社会主義を体制とするような国家ができるというさらなる反作用があった。その後、潜在的な冷戦構造の中で国際連盟が設立され、戦後処理を含めグローバルな危機に対する国際社会の雛形が誕生した。

１９２９年に世界大恐慌が起こると、これに対して米国のニューディール政策をはじめとする対策がとられた。経済危機に際し、人間社会が崩壊しないよう打ち出された政策も反作用の一つである。

重要な点は、こうした作用と反作用を繰り返す中で、19世紀よりも20世紀、20世紀よりも21世紀と、市場化の規模が拡大してきたことである。当然、波の幅も揺れも大きくなり、システムが不安定になる度合いもより強くなる。ポランニーは、すでに１９４４年の時点で「大転換」の必要性を説いた。つまり、自由主義的な市場に歯止めをかけ、反作用が激化しないシステムに変えない限り、これ以上の両者の押し引きに世界は耐えられないと指摘したのである。

ところが第二次世界大戦後、国際社会はなおも米国主導の自由主義、国際連合体制に依拠し続けた。米ドルを基軸通貨としたブレトンウッズ体制はニクソン・ショックで機能不全に陥った。ベトナム戦争の影響も大きかった。１９７０年代前後には、グローバル経済に対する反作用として、世界のあちこちで市民運動や反戦運動、消費者運動、反公害運動などが噴出した。そこには自由主義・資本主義を遂行する側（第一世界）、社会主義・計画主義を行う側（第二世界）のどちらでもない国ぐに（第三世界）への連帯の気運があり、ポランニーの人類学的手法にも通じる、新たな視角の萌芽が存在した。だが十分な展開はなかった。第三世界を残余として束ねる視野の曇りが、当時の限界であった。

グローバリゼーションの中で忘れられてきた身体

２０２０年を生きる我われは、ポランニーの提起した「大転換」が当時、起こらなかったことを知っている。国際社会は現在に至るまで、相変わらず同様の作用・反作用を繰り返し、危機は増幅して、市場の外縁は劇的に広がった。いまや相手はウイルスである。グローバル経済の進展に対し、生物と非生物の間の存在であり、私たちの身体の中にもいるウイルスが、グローバリゼーションの作用に対して反作用を仕掛けているという、恐ろしい構造にまで来ているのだ。

医学的な見地からすれば、たしかに私たちは人間と対立しているウイルスと闘い、ウイルスを潰さないといけないという話になるだろう。しかし社会理論的に見れば、実はウイルスは市場と対立しているのではない。市場に対立しているのはむしろ、私たち人間自身が見ようとしてこなかった私たち自身の何かではないか。

それは、私たちの身体である。

グローバリゼーションは、私たちにまるで自分自身の身体などないかのように錯覚させる。飛行機があればどこにでも行けるし、金融の世界では数字があれば実体はいらない。時差も地理的な差もまるでないような世界だ。しかし、コロナ禍で私たちは、身体やモノという物的なものがあってこそのグローバリゼーションや経済であると気づかざるをえなかった。移動制限や物資の不足などを目の当たりにし、「止められているのはこの身体であり、身体を背負ってしか人は生きていけない」という現実に直面したのである。

この前提に立ち、もう一度グローバリゼーションを考え直さなければならない。経済とは株価や市場のことではなく、人間とモノとの関係であり、モノを介して人間と人間がつながることである。サービス中心の経済がどれだけ進んでもモノは消えない。私たちの身体は消えず、その身体を維持するための食べ物やインフラは必要であり、原料からモノを作るプロセスがなくなることはない。デジタル化だけがこれからの時代の指針ではない。

もちろん、モノと人間のグローバリゼーションは、英国の覇権時代の大移動により20世紀初頭までに飛躍的に進展した。鉄道のインフラが整えられ、自動車、飛行機と輸送手段が進化して、通信技術も整備された。米国はこれらを大規模化・高度化させ、新たな技術を次つぎと生み出して覇権を握った。人間の身体性を超える技術が出現し、人間は「時代遅れ」になったと言われた。先端技術を生み出す自然科学が重要視され、技術と結びついた工学や化学分野が伸びて、農業分野でも品種改良や肥料などに影響を及ぼした。いま私たちが「サイエンス」と言う際、技術や工学のことだけでなく、人間の命や身体もその対象（オブジェクト）になり、遺伝科学や生命科学などの先端科学を国家がかかえこんでいる。それでも私たちの身体自体は、基本的には以前とさほど変わらない。外せないのはその点だ。

危機増幅のメカニズムから逃れる

これまで通りの経済成長路線を進めていくことは、物理的・身体的にもはや可能ではない。これは新しい話ではなく、すでにその限界は何度も指摘されてきた。１９７０年代前半にローマクラブが「成長の限界」を提示したように、英国、米国の覇権とともに進められてきた西洋的な発展は、20世紀の終わりごろには完全に限界に達していた。

かつてフリードマンの新自由主義経済学を批判したA・G・フランクは『リオリエント――アジア時代のグローバル・エコノミー』（山下範久訳、藤原書店、２０００年）を著し、「ヨーロッパは、アジアの背中をよじ登り、次いでアジアの肩の上に立ちあがったのである……ヨーロッパは、……世界規模の経済ないしはシステムにとって「中心的」でもなければ、その「中核」でもなかったのである。」（同書52ページ）と述べた。

図１　日本の近代～現代における「西」的自己認識の錯誤について

欧米的視点

1918-	・第一次世界大戦後 ・自由主義的「国際社会」成立、潜在的な冷戦構造
1929-	・世界大恐慌後（グローバリゼーションの負の側面露呈） ・先進国でも「飢餓」の危機
1945-	・第二次世界大戦後 ・自由主義的「国際社会」再構築、３つの「世界」
1970s-	・アメリカン・ヘゲモニーの限界露呈 ・経済成長路線の限界（資源の限界）露呈、資源国のプレゼンス
2008-	・（ただしこの間バブルとバブル崩壊多発） ・リーマン・ショックからの金融危機

日本からのパースペクティブ

19C後半～	・西洋に並び立つ「先進国」を標榜（富国強兵、西洋科学、西洋的制度etc.）
1945～	・原爆投下（広島、長崎）、敗戦 ・高度経済成長、国土「開発」、公害
1980s～	・バブルとその崩壊（新自由主義期） ・原発推進
2011～	・東日本大震災、福島第１原発事故の複合災害 ・各地の地震、火山活動、豪雨など自然災害多発

市民運動、社会運動の高まり

（出典）筆者作成

ヨーロッパの内部からのリオリエント、再方向づけである。

近年のヨーロッパでは、人口減少ともあいまって、国際社会の中で自分たちの声やプレゼンスが弱くなっていることを懸念する声もあるが、コロナ対応を見ると、むしろ欧州域内というサイズやその中での連帯を重要視し、世界を統率しようとは考えないスタンスをとっている。これは実は好ましいことである。欧米が世界のすべてであり普遍的であると信じさせた時代はもう終わったのだ。こうした動きをプラスに考えていくこともできるはずだ。

日本は、近代から現代において「自分たちは西側である」と錯誤し続けてきた。その錯誤を上塗りするように自分たちはアジアと違うとして、数々の失敗を重ねてきた。原爆の被爆を経験した第二次世界大戦もその延長上にある。その後、高度経済成長の反作用として公害が起こり、バブルの崩壊もあった。原発を推進してきた果てに福島第一原発の事故もあった。反作用は何度も起こり、立ち止まって仕切り直すチャンスはあったにもかかわらず、いつももう戻れないとして目をつぶり、揺り戻しを繰り返してきたのである（図１）。

ここから脱していくためにはどうすればいいか。

一つのヒントが、ここで概略的にたどったプロセスに改めて立ち戻ってみると見えてくる。それは第三世界を残余としておとしめてきた地政学の発想を、逆転させることである。日本はもちろん西洋の一部ではないと認めることだ。だからといって日本賛美のナショナリズムに陥る必要もない。日本はがんばって西側に加わろうとした、極東つまりはるかに東の後発国であり、明らかに途上国であった。戦後75年余りで変わったのはＧＤＰの世界ランクだけであった。いまなお政府が公文書を捨てても、民主主義が機能していなくても、後発国としてこれから変わっていくのだと思えば多少、気が楽になる。

一点、注意しなければならないのは、グローバル経済が危機に直面した際、歴史上ではそれを元に戻そうとして国家がせり出してきて、その力を発揮してきたことだ。従来の資本主義体制と異なる体制が志向されるところにも、たとえばポランニーがファシズム思想の台頭に直面したように、国家主導の手が伸びてくる。ドイツナチズムは危機の中で人びとに仕事や食べ物を与えることと引き換えに、自由を奪った。権力は人びとの生にどこまでも踏み込んでくる。要は、危機の際に現れる「強い」リーダーには、気をつけなければならないということだ。人びとは、一気に問題を解決してくれるリーダーを欲する気分に陥りがちになるが、完璧なリーダーの存在は期待すべくもない。人びとのそうした気持ちは、やがて過剰なナショナリズムや、何か全体の動きに合わない人を排除していく力等になってしまう恐れがある。

実際、コロナ禍では、「病気になるのはその人のせい」「健康でいなければならない」ということが正義となり、自らの正義を他者に押しつけたり、病人を非難したりするような動きがすでにある。私たちはむしろ、国家が踏み込んでよい領域を慎重に見定め、私的で大切な領域への過剰な介入を注意深く防がなければならないのだ。これは決して自助のすすめではない。人間としての尊厳の保持である。

第2章

コロナ禍の世界から

【韓国】市民社会の力
――コロナ復興で進む農と食の取り組み

姜《カン》　乃《ネ》榮《ヨン》

世界でも評価された韓国政府のコロナ対応

韓国では、2020年3月初めに新型コロナウイルスの感染が広がったが、韓国独自の防疫システムによる対策を迅速に行い、3月中旬には第一波を抑え込むことができた。その後、8月に第二波が、そして12月中旬には最も感染者数が多い第三波が起こるなど、他国と同様、その封じ込めに苦戦している。しかし、21年に入ってからは第三波も収束に向かい、これまでの累計感染者数は8万524人、死亡者は1464人と、日本と比較しても圧倒的に低く抑えられている(2021年2月6日現在)。

韓国政府のコロナ対策は、世界でも「韓国式」として高く評価され、「K - 防疫」という名でこのシステムを参考にする国が増え世界に広がってきた。その最大の理由は、政府の情報・政策の透明性と公開性だろう。政府の疾病管理本部は、コロナ感染者・死亡者の情報発信特設サイト「コロナ・ボード(CoronaBoard)」を立ち上げ、誰もがリアルタイムで世界と韓国の感染状況を把握できるようにした。

また、感染者が自己隔離をしたり、治療を終えた人が家庭に戻る前に滞在する一時施設「生活治療センター」も世界に先んじて設置した。世帯あたり最大１００万ウォン（約9万円）を支給する「緊急災難支援金」についても、野党の反対がある中、全世帯への給付を国会で可決させた。宗教施設・団体を通じて感染者が爆発的に増えた大邱（テグ）市では、ロックダウンをするかが議論になったが、結果的には封鎖に踏み切らずに収束させたことも注目された。

このほかにも、検査費・治療費の原則無償、早期の診断キット開発と効率的な検査体制、さらには個人のスマホのＧＰＳ機能を使った感染者（匿名）の位置情報や移動経路の公開など、その迅速さは際立っていたと言える。

国内感染を抑え込んだ後には、米国からの経済制裁によって十分なコロナ対策ができないイランや、他の貧困国に対する人道援助にも乗り出した。１９５０年の韓国戦争（朝鮮戦争）の際に韓国に兵士を派遣した国（全16カ国）には、コロナ関連の医療品を優先的に提供した。また、航空機で診断キットを海外に運び、その復路便で在外韓国人を帰国させるなどの措置もとった。市民団体からは「政府がここまでやるのなら、私たちはやることがない」というジョークが出るほど、非常に細かい部分にまで政府が力を注いだのだ。

透明性と公開性という点では、専門家や医師が政府の政策決定や発表の前面に立ったことが重要なポイントだった。日本で政府がコロナ対策について発表するのとは対照的だ。韓国では女性の医師でもある疾病管理本部の鄭銀敬（チョン・ウンギョン）中央防疫対策本部長が、国民に対し分かりやすく事態を説明し、冷静に行動を呼びかけた。彼女が登場してからは政府の対策への国民の信頼度が高まった。

韓国政府のコロナ対策は、過去の重症急性呼吸器症候群（ＳＡＲＳ）や中東呼吸器症候群（ＭＥＲＳ）の経験から、他国の先進的な取り組みを学び、韓国版にカスタマイズしていったことが大きい。そこには、かつての保守政権から民主派の政治に転換させてきたことが大きく影響していると言えるだろう。

公的な医療システムの重要性が明らかに

他の国と同じく、韓国でもコロナ禍の中で公的医療システムや医療保険制度が重要であることが改めて明確になった。実は、韓国政府の迅速なコロナ対応には、文在寅（ムン・ジェイン）政権になって以降に公的医療が強化されてきたという背景がある。所得や地域による医療格差を是正するための公的医療システムは、民主党の盧武鉉（ノ・ムヒョン）政権時代に拡充されたが、その後の李明博（イ・ミョンバク）、朴槿恵（パク・クネ）の保守政権時代には医療保険を民営化する動きも起こるなど後退した。

その後に登場した文政権は「包容社会」をスローガンにこの流れを跳ね返し、再び公的医療を強化、「文在寅ケア」と呼ばれる政策を進めたのだ。その代表はコミュニティ・ケアの拡充だ。生活圏の中で、脆弱階層（社会的弱者）を含むすべての人をどうやってケアしていくか、市民と行政が一緒になって医療と保健、福祉をガバナンス（協治）する仕組みが強化された。具体的には、それまで都市部の区に一つしかなかった大規模な保健所を細分化し、区内各所に増設。住民の生活圏のすぐ近くに保健所があるように拡大した。ここには保健所と住民の自治委員会が協力している。

またソウル市では、チャットン（訪問する洞住民センター）という出前型福祉サービス事業が実践されている。洞（トン）は日本の町（都市部）に相当する。訪問看護師や福祉プランナーなど総勢3208名が市内各地域に配置されているのだが、コロナ感染拡大の際に、この人たちが地域で大活躍した。地区別の診療所やコールセンター、保健所に迅速に人員が配置され、担当する地域内の貧困層や脆弱層に毎日電話をし、マスクを支給し、また高齢者の小規模な集合施設で感染予防教育をした。コミュニティ・ケアの仕組みが日常的に存在していたからこそ、コロナ対策でも最大限に活用され、克服の重要な核になった。

こうした韓国政府のコロナ対策について、国民からの評価は高い。2020年3月に行われた京郷(キョンヒャン)新聞の世論調査では、政府のコロナ対応について「よくやっている」が77%、「よくない」が22%。コロナ禍に伴う経済危機への政府対応については「よくやっている」が62・2%、「よくない」が35・4%だった。コロナ以前は50%を切っていた文大統領の支持率も、60%にまで達した。

自治体・市民の積極的な参加があってこそ

もちろん、感染拡大を抑え込めたのは政府だけの力ではない。むしろ、政府の呼びかけに呼応し、参画してきた自治体や市民の力があってこその成果だ。韓国市民社会の底力と言える。

多くの市民が、「自分たちは防疫の対象ではなく、主体だ」と自覚をして動いた。マスクの着用も、社会的距離も積極的に行い、マスクや食料品の買い占めもほとんど起こっていない。逆に、マスクの譲り合いや「マスク慈善鍋」と呼ばれる募金運動、さらに市民が布マスクを100万枚も手作りして脆弱層に提供する取り組みも行われた。政府の呼びかけに応じて、市民は集会・行事の自粛やオンライン化にも積極的に協力した。私が住むソウル市江西(カンソ)区では、コロナ対応に奔走する医師や看護師、清掃員、公務員、宅配員に感謝するという目的で「応援ボックス」を作った。住民にウェブサイトで寄付を呼びかけ、集まったお金でお菓子やマスク、消毒剤など個人が必要な物を箱に入れ、プレゼントするのだ。行政職員は「市民に褒められたのは初めてだ」と感謝してくれた。

感染者が最も多かった大邱市には、全国から医師や看護師がボランティアとして入った。光州(クァン

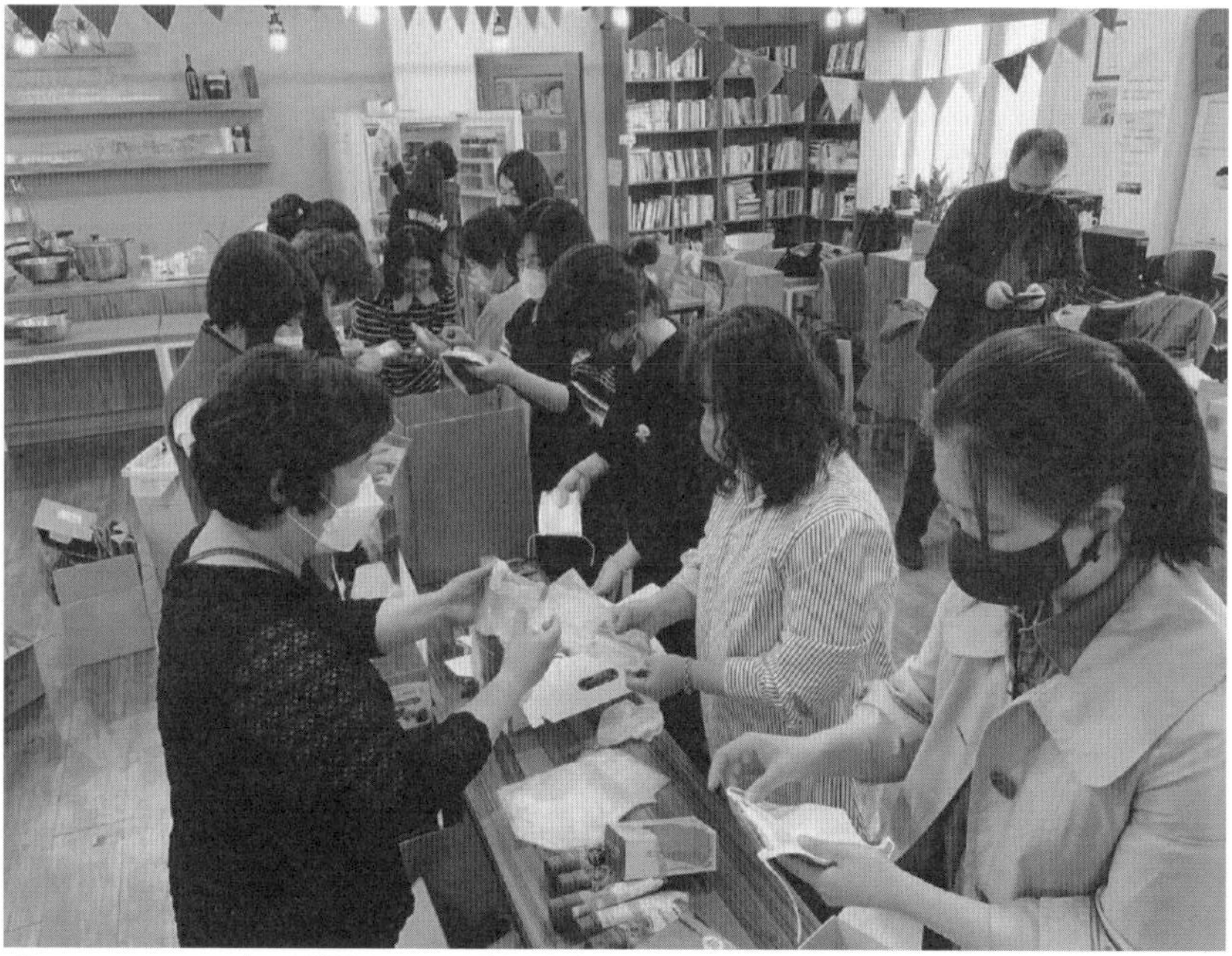

ボランティアの方々が協同して「応援ボックス」を作っている　撮影：筆者

ジュ）市は「病床が足りなければ提供する」と申し出るなど、自治体間での助け合いもあった。韓国でも一時はマスクが不足したが、マスク工場を24時間フル稼働させるため、市民ボランティアがマスク工場に駆けつけて生産ラインを動かしたこともある。あるいは、テナント料が支払えない商店のために、大家が家賃を半額にするなど、まさにそれぞれが自発的に、自分なりにできることを同時多発的に行ったのだ。

もちろん、市民がバラバラに動いていては大きな力にならない。やはり政府が情報を迅速に発信し、その方針を透明性ある形で説明し続けたことで、それを見た市民が自発的に判断し協力していくという、「韓国式」のコロナ克服の構造ができていったのだと思う。

２０２０年3月31日、コロナによる経済・社会的危機に対応するため、韓国の主要な労働組合・宗教団体・市民団体など３８３団体が連名で、政府に対して以下の7つの政策を提案した。

1　経済的打撃を受けた人や脆弱階層のための特別災難支援金の支給
2　社会的セーフティネットの早期整備
3　完全雇用の維持
4　公的保険医療の量的・質的な強化
5　気候危機への根本的な分析と積極的な対策づくり
6　防疫対策が立てられない国がないように国境を越えて協力
7　コロナ克服のため市民連帯の必要性（特定の地域、宗教、人種、国籍などでの差別禁止）

特に重要なのは、雇用の維持だ。韓国では１９９７年のＩＭＦ危機の時期、政府は救済のための税金を企業に投入したが、それにもかかわらず企業は大量のリストラを行った。この経験をふまえ、市民社会は文政権に対し、政府が企業へ公的資金を投入する際には、雇用を維持することを企業に条件として課すよう求めたのだ。この要求を政府は受け入れ、たとえばコロナでの打撃が大きい航空会社に対しても、雇用維持を救済措置の条件とすることが実現した。

社会的連帯の事例――学校給食問題への対応

コロナ禍での取り組みとして私が最も注目しているのは、有機農産物を学校給食に提供する自治体と農家、市民の協力がいままで以上に強化されたことだ。

韓国では、有機農産物を「親環境農産物」と呼んでいる。環境にやさしい農産物という意味だ。農産物全体の中で親環境農産物が占める割合は５％程度と多くはないが、ここ数年で伸びている。その大きな要因が学校給食の有機化だ（第3章121ページ参照）。

学校給食の有機化の前史として、韓国ではまず学校給食の無償化が進められてきた。2003年に「学校給食法の改正と条例制定のための国民運動本部」が立ち上がり、多くの市民が無償給食の実施を求めた。100万人以上の住民発議によって提起された大きな運動だ。これに影響を受けて、04年に慶尚南道（キョンサンナムド）の居昌（コチャン）郡で学校給食支援条例ができ、07年に自治体では初めて無償給食が実現。その後、別の自治体にも広がっていった。

興味深いのは、こうした地域は必ずしも革新系ではなく、むしろ保守系が強い地域であったことだ。つまり、学校給食の無償化は保守・革新という対立とは関係なく、普遍的な人権問題としてとらえられたということだ。その根拠は、憲法第31条第3項に書かれている「義務教育は無償にする」という文言だ。義務教育の中で提供される給食も、当然無償でなければならない。こうして韓国では、現在小中高校2万809校、約613万人を対象に無償給食を提供している。

こうした無償給食を求める運動に加え、有機化を求める運動が起こる。2010年、ソウル市では保守系の市長の辞職に伴う選挙で、公約の一つに学校給食の無償化・有機化を掲げた故・朴元淳（パク・ウォンスン）氏が当選した。ソウル市では段階的に有機化を実践しており、21年末までに親環境（有機）・無償給食の全面実施と公共給食システムづくりを目指している。

またソウル市では、学校給食のほかにも、保育園や地域児童センター、福祉施設などの公共機関の給食（公共給食）でも、有機農産物を取り入れている。ソウル市にある25の自治区がそれぞれ農村自治体と提携し、直接取引をして新鮮で安全な食材を提供しているのだ。消費者には健康で安全な食べ物が提供でき、生産者には持続可能な農業と適正価格を保証できる。都市と農村の共存関係をつくることができるのだ。

こうして、ソウル市をはじめ韓国では無償・有機の学校給食が広がってきたが、新型コロナウイルスの感染防止策として学校が休校になると、有機農家は大きな打撃を受けることとなった。学校給食に提供するための農産物の行き場がなくなったのだ。そこで、政府、自治体、そして市民社会が知恵を出し合い、さまざまな取り組みが始まった。

たとえば、政府の農林畜産食品部とＩＴ企業が協力し、有機農産物のオンライン販売に着手した。自治体でも有機農家の農産物を一般市民に販売し始めたが、それだけでは量がさばけない。そこで学校給食用の食材を買う予算を使って有機農家から農産物を買い取り、小学生・中学生・高校生のいる各家庭に、「もともとはこの子どもたちが食べるものだったから」と、その農産物を無償で配達することにしたのだ。

学校給食の無償化・有機化の実現は、子どもを持つ親たち、そして市民の力によるところが大きい。「子どもたちに安全・安心な食べ物を食べさせたい」と自治体や国に働きかけてきた。学校給食の問題を入り口に、有機農家の育成や自治体での費用負担システム、都市と農村の連携、地域づくりなど、関わる分野は実に多岐にわたる。こうした運動が自治体を動かし、いまでは多くの自治体がローカル・フードを大事にする政策をとっている。コロナ禍でさまざまな協力が迅速にできたのも、市民と自治体の協働が日常的に進んでいたからこそである。

政府・自治体・市民による韓国版グリーン・ニューディール

韓国における無償給食・有機給食は、国全体の計画にも関係している。

２０１７年、文政権は国内の専門家や生協、市民団体とともに食に関する総合戦略である「韓国フード・

プラン」を100大国政課題として策定した。これは、09年の李明博政権時代から市民社会が要求してきたものだった。背景には、グローバル化の中で増える輸入農産物が、食料安全保障を脅かしていること、また外国産農産物の安全性への懸念、肥満など食生活に関連する疾患の増加などがある。国産農産物の消費が落ち込む中で、農業の持続可能性への懸念もある。

フード・プランでは「食の安全保障」「持続可能な農業」そして「地域経済活性化」の三つの価値を柱に、現在の世代、そして未来世代に健康で安全、環境にやさしい食べ物を提供することを目指している。最も深刻なのは、貧困化が進み、十分で栄養のある食べ物が得られない「食の脆弱階層」が増えていることだ。こうした人たちに対して、「食への権利(Right to Food)」の保障を強化することが必要だと、韓国フード・プランは位置づけている。

この動きに呼応して、ソウル市をはじめほとんどの自治体で独自の「フード・プラン」が策定されていった。より具体的に、地域の経済、安全、福祉のすべてを食を媒介に結びつけていくものだ。市民社会も文政権に働きかけ、国と地域レベルの両方でフード・プランの策定を実現させた。

強調しておきたいのは、このように韓国では中央政府と地方自治体、そして市民社会が互いに提案やチェックをしながら、政策のイニシアティブを形成していることだ。いわば三者の「協治」と言ってもいい。市民は選挙を通じて革新自治体を実現し、自治体は市民からの提案を受けさまざまな政策を実験したり、市民が参画できる仕組みをつくる。また自治体は中央政府に対して提案し、逆に政府は自治体の先駆的な取り組みを国全体に取り入れていく。市民も国に対して提案するだけではなく、場合によっては2016年のキャンドル革命のように異議申し立てをし、政権交代の大きな力になる。

最後に、ポスト・コロナの時代を見据えて、韓国市民社会がどのような社会を目指し、政府や自治体に

コロナに前向きに立ち向かおうと「幸福の国に」をオンライン上で合唱するソウル市銅雀（トンジャク）区の地域住民たち　写真提供：筆者

提案しているのかについてふれたい。

２０２０年４月に行われた「コロナ19関連緊急国民意識調査」（環境保健市民センター）によれば、「コロナの根本的な原因は気候変動だ」との問いに同意したのは84・６％、「コロナの根本的な原因は生態系の破壊だ」への同意も84％だった。また「コロナ対策で一番急ぐべき対策は？」との問いには、「医療体系などシステム構築」が25・８％、「生態系の保護政策」が25％、「衛生管理など生活習慣」が24・２％となった。つまり多くの国民が、コロナの原因を気候変動や生態系の破壊であると認識し、これからの世界・社会において、気候危機への対応や生態系の保護は、医療や衛生管理と同様、重要であると考えている。

欧米ではコロナからの復興プランとして、「グリーン・ニューディール」政策が議論されている。韓国でも同じように、政府の企画財政部は「韓国版ニューディール」政策を掲げた。ところが、政府のニューディールの中身は、コロナで非対面の社会が強いられる中で、「デジタル社会をつくる」「デジタル産業の育成」ばかりが謳われる、いわば「デジタル・ニューディール」であった。これに対し、市民社会団体は、コロナの要因でもある気候危機への対応などを含む、より根本的な社会変革を要求した。先述した、383の市民社会組織による政府への7つの政策提案でも、「完全雇用の維持」や「社会的セーフティネットづくり」と同様に、「気候危機への根本的な対策」があげられたこともそうした文脈からである。当初、政府は市民側の提案に難色を示していたが、最終的には文大統領が直接指示を出す形で「韓国版グリーン・ニューディール」政策が掲げられるに至った。

ただし、これがどう実現されるかについては未知数であり、懸念もある。たとえば「低炭素で分散型のエネルギーの推進」や「グリーン産業の革新的な生態系をつくる」「生活をすべてグリーンに転換する」などと書かれているものの、実際にどのような中身になるかはこれからだ。市民社会は、ポスト・コロナの社会を、すべての産業、社会体制をグリーンにシフトしていこうという根本的な要求をしている。自分たちの住む自治体をグリーン・コミュニティに変えることで、持続可能な世界へと連動していく。そうしたビジョンのもとでの提言だ。しかし、政府や産業界がどこまで本気で取り組むか、それはこれからの韓国市民社会の闘いの中で実現していかなければならない。

コロナ禍の中で、韓国でも日本でも、多くの課題が見えてきた。いずれも一国だけでは解決できない地球レベルの問題だ。日韓でも互いの市民社会の交流や協働を進めながら、未来世代のために我われが何をすべきか、一緒に取り組んでいきたい。

【ブラジル】「命の権利」のために
――二元論を超える貧困層の人びとの闘い

下郷さとみ

ボルソナロ政権下、パンデミックで進む社会の分断

２０２０年２月以降、新型コロナウイルスは新興国へと広がっていった。ブラジルではカーニバル直後の２月26日に国内初の陽性者が、３月17日には初の死者が国内最大の都市サンパウロで確認された。感染は指数関数的に拡大し続けた後、８月にいったん減少に向かったものの、より大きな第二波が11月に到来して猛威を振るい続けている。

２０２１年３月17日の時点で全国の累積感染者数は約１１７０万人、死者数は約28万人に達した。一日の新規感染者が全国で９万人を超える日も出る中で、医療の逼迫は深刻だ。１月に新たな変異株が確認されたアマゾナス州都マナウス市では、吸入用酸素が全市で底を尽き、多数の入院患者が呼吸困難で死亡するという事態にまで及んだ。３月中旬にはコロナ病棟のＩＣＵ病床使用率が全国26州のうち14州と首都ブラジリアで90％以上に、10州で80％にまで達する事態に陥っている。

ブラジルの最初の感染流行はカーニバル休暇をヨーロッパで過ごした大都市富裕層の間で始まり、じき

に都市貧困層、地方都市、先住民族コミュニティへと広がっていった。失業などによる貧困層の暮らしへの打撃は大きく、またコロナによる死亡率は貧困地区でより高い。もともと貧富の差が激しいこの国で、社会格差が「命の格差」となって人びとを襲っている。

政府の対策については、疾病そのものに懐疑的なボルソナロ大統領の姿勢が国際的に話題になった。「ちょっとした風邪だ」という発言を繰り返しながら、産業界の利益を最優先する路線を貫いてきた。ただ、連邦国家のブラジルでは州政府の自治権が強く三権分立も明確だ。政治の姿は必ずしも一枚岩ではない。

感染拡大の中心地となったサンパウロやリオデジャネイロをはじめ多くの州では、第一波の3月20日に州知事の権限で緊急事態宣言を発布。学校や店舗を閉鎖し、自主隔離を市民に要請するなどの感染防止策が州政府と主要各市によってとられた。5月以降、規制は段階的に解除されたが、年末からの第二波によって年明けの1月には再び厳しい規制が敷かれた。ただ、第一波では市民の多くが外出抑制に努めたものの第二波では効果が上がらず、感染拡大の高止まりが続いている。

自主隔離をすすめる地方政府の姿勢に大統領は、「たかが風邪のために経済を損なうのか」と、常に知事らへの批判を続けてきた。第一波における市民の自発的な強い行動抑制は、このような大統領への反発と不信感が後押ししたのだろう。大統領の会見がテレビで流れると同時に市民が一斉に窓を開けて鍋を打ち鳴らす「鍋叩きデモ」の様子が、たびたびＳＮＳで拡散されていた。

２０１９年1月に就任したボルソナロ大統領は、自身への批判や異議を「左翼」「共産主義者」という仮想敵でひとくくりにして叩き、言論を封じ込める態度をとってきた。軍事政権時代（１９６４～85年）を賛美する言動も繰り返している。大統領支持者が「軍事介入をいますぐ！」をスローガンにマスクなしで密集する反民主主義デモが頻発しており、極端な分断が進んでいることが懸念される。そしてその分断を大統領自らがフェイク情報やヘイト言説をSNSで拡散することであおってきた。

一方で、政権内は必ずしも大統領に従う者ばかりだったわけではない。ブラジルでは軍政期を含めて歴代の保健大臣は医師資格を持つ人がほぼ務めてきた。現政権初代のマンデッタ保健大臣も医師であり、WHOの指針の遵守と自主隔離の推進を主張した。しかし、大統領との対立が激化した末に2020年4月に辞任に追い込まれ、後任のやはり医師のテイシ大臣も就任から1カ月を待たずに辞任に至った。その後は国軍から政権入りしたパズエロ将軍が保健大臣を務めてきた。

科学的知見と専門性を軽視する政権の姿勢は人事に如実に現れている。自身も軍から議員に転身した経歴を持つ大統領は、閣僚や行政官に軍人を次つぎと登用してきた。政府の要職に就く軍出身者は130人以上とも言われ、民主主義のもとで合法的に軍事政権化が推し進められているかのような様相だ。保健大臣のパズエロ将軍は全国で起きた医療崩壊への批判に耐えきれず2021年3月15日に辞任。医師のケイロガ氏が後任に指名されたが、コロナ禍の1年で3回も保健大臣が交代するなど迷走が続いている。

ただ、国会内では現政権は少数勢力であり、議会における対抗言論は活発だ。コロナ禍で野党が上げた成果の一つが、貧困層向けの現金給付制度である。2020年3月25日、野党7党が合同で通称「緊急ベーシックインカム法案」を国会に提出した。貧困層を対象にした現金給付制度を定めるこの法案は、提出翌日に国会下院で、30日に上院で可決され、4月1日の大統領署名を経て発効した。

対象は18歳以上、世帯に2人までで1人月額600レアル（1レアル＝約20円）、シングルマザーには1200レアルが4〜8月の5回支給され、9月以降は半額に低減されて12月に終了となった。政府はより厳しい受給条件の制度創設を準備していたが、世論の突き上げを受けて国会が法整備へと動いた形だ。2021年2月現在、国会では再び世論に後押しされて制度再開の議論が進められている。

2021年2月17日には、最優先グループの医療者と先住民族を対象に全国でワクチン接種が開始された。使用するのは中国シノバック社がサンパウロ州立ブタンタン研究所と合同で開発し、同研究所で製造される不活性化ワクチン「コロナヴァク」である。連邦政府がインドから輸入予定のワクチンは調達が遅れていることから、当面はサンパウロ州政府が連邦政府に提供する形で接種が始まった。

新自由主義路線を同じくするドリア州知事とボルソナロ大統領はともに2022年の大統領選に出馬の予定で、二人は強いライバル関係にある。大統領支持者は「ナノチップを注入されて共産主義者に操られる」などのフェイク情報を盛んに拡散しており、「命の権利」に関わる問題が完全に政局化してしまった。そんな中、先住民族のリーダーたちは嘘情報への警戒とワクチンの接種を仲間に呼びかけている。

抵抗運動としてのファベーラのコロナ対策

ブラジルの都市部にはファベーラと呼ばれる場所が多数存在する。海の浅瀬や川べり、幹線道路沿い、崖地などの主に公共の空き地を占拠して形成された集落のことだ。住民の多くは、かつてアフリカ大陸から連れてこられた奴隷にルーツを持つ。

1950年代ごろから進んだ都市化・工業化は安価な労働力を大量に必要としたが、住宅政策をはじめとする貧困対策はほとんどとられることがなかった。政治の無関心が都市に無数のファベーラを生み出して、人種に結びついた格差の固定をもたらした。この構造的格差の根底には、国の成り立ちから500年にわたってブラジル社会に連綿と続く、人の搾取と環境資源の収奪を基本とする植民地主義が横たわっている。

ブラジルでは人口2億人のおよそ30％が貧困層であり、所得上位10％の人が全人口の合計所得の43％を占める。法が定める最低賃金は２０２０年が月額１０４５レアル、21年は１１００レアルに切り上げられたものの、貧困層１人あたりの月平均所得はわずか２６９レアルにすぎない。物価水準は日本とさほど変わりがなく、前述の月６００レアルという給付金額は、富裕層にとっては高級レストランで楽しむディナー1回分という感覚だ。

２０２０年9月以降、主食の米や肉などの食料品を中心に物価の高騰が続いた。農産品はブラジルの主要輸出品目であり、レアル安に伴う輸出増によって国内で品薄になった結果、価格高騰を招いたからだ。21年2月にData Favelaなど3団体が全国76カ所のファベーラで行った合同調査では、68％の人が必要な食料すら買えない状態だと答えている。貧困層の生活はひどく追い詰められている。

急峻な岩山の斜面に家が立ち並ぶファベーラ「サンタマルタ」。リオデジャネイロ市内にはファベーラが1000カ所以上ある
撮影：筆者

国内第二の都市リオデジャネイロでは、人口約６７０万人のうち22％が市内に１０００カ所以上を数えるファベーラに暮らしている。後述のようにブラジルには無料の優れた公的医療制度があるが、政府の予算縮小と２０１６年のオリンピック後の市の財政危機によって、もともと脆弱だった貧困地区の医療サービスの劣化が著しい。ファベーラでは症状があってもＰＣＲ検査

が受けられない人が多く、また富裕地区と比べてコロナによる死亡率も高い。

狭い路地に小さな家がひしめいて建つファベーラは「3つの密」が凝縮したような場所だ。緊急事態宣言が出される数日前から、市内各地のファベーラでは住民の手によるコロナ緊急対策チームが立ち上がり、住民に強く自主隔離を呼びかけ始めた。住民の大半が非正規や零細自営の職に就くファベーラでは、自主隔離は飢えに直結する。そこで対策チームは企業やＮＧＯと交渉して食料や衛生用品などの救援物資を大量に集め、困窮家庭に定期的に配布する活動を展開していった。

取り組みは多彩だ。ポスターやグラフィッチ（壁絵）、音楽などのツールを使った予防啓発キャンペーン。共同手洗い場の設置。食事の炊き出し。感染状況の実態調査。路地の消毒……。こうした活動の担い手の中心は、コロナ禍以前から住民運動に関わってきた20～30代の若者たちである。どのファベーラにも子どもたちへの教育支援、芸術活動、ローカルメディア、アドボカシー（政策）など、さまざまな分野にわたる住民運動の長い歴史がある。コロナ緊急対策ではＳＮＳやオンライン会議ツールも駆使して運動が展開された。この共助の活動は状況に応じて中身を変化させながら、1年が経ついまも続けられている。近年は市、州、国、それぞれの場面で、ファベーラ出身の議員が増えている。当事者のリアリティを共有する人が政治の場にあることの重みは計り知れない。

ファベーラで緊急対策チームが立ち上がったころ、中間層以上の人びとはリモートワークへと移行していった。産業活動を最優先する大統領は『ブラジルを止めるな』と題するキャンペーンビデオを制作してネット上に公開し、国民に「働こう」と呼びかけた。しかし映像に登場したのは、建設現場や工場の労働者、店員、メイド、清掃員などの、低賃金で社会を下支えする人の姿だけだった。

ファベーラの人びとは、3月18日のリオデジャネイロ州初の死者のケースにふれながらこのキャンペー

住民に配布する救援物資を準備するファベーラ「プロビデンシア」のコロナ緊急対策チーム（リオデジャネイロ市・2020年5月）　写真提供：コズミ・フェリップソン

ンを強く批判した。死亡したのはリオデジャネイロ市内有数の高級住宅地で住み込みのメイドとして働く女性だった。雇い主は海外旅行先で感染して自宅療養に入り、その事実を伏せたままメイドに身の回りの世話をさせていた。雇い主は軽症で快癒した一方で、メイドは発症からわずか数日で亡くなった。

格差を象徴するようなこの出来事に、ファベーラの人びとは「我われにはステイホームの特権はない」と口ぐちに語っていた。そして「もしファベーラで感染爆発が起きれば、政府も世間も私たちを見捨てるだろう」と危機感を強く抱いた。

それ以降、ファベーラで展開されていったコロナ対策の中心には、「命の権利を守る」という彼らのぶれない軸がある。差別にあらがい、抗議の声を上げ、公正な社会を求めてきた彼らの運動の軸である。彼らの自主隔離は、知事や市長の要請に従った結果ではない。自らが選び取った「抵抗運動としてのステイホーム」だと言えるだろう。

HIV／エイズ当事者運動が守った健康への権利

パンデミックが襲ったブラジルで盛んに口にされるようになった言葉がある。「SUSを守れ」だ。SUS（スス）はブラジルの公的医療制度の名称で、医療へのユニバーサルアクセスを保障する世界でも数少ない優れた制度である。つまり公共の医療機関では、すべての人（不法滞在状態の外国籍の人も）が一切の負担なしで医療を受けられる。臓器移植やワクチン行政などもSUSが一手に担ってきた。

富裕層はホスピタリティの質がより高い民間の医療機関を利用するのが一般的だ。治療費は患者の全額自己負担、もしくは民間保険会社の健康保険プランに加入してまかなう。保険料は高く貧困層には手が届かない世界である。

新自由主義を標榜する現政権では、民間の医療機関が占める比率の拡大やコンセッション（公的施設の所有権を公的機関に残したまま運営権を民間事業者に売却すること）方式の導入などが検討されてきた。「小さな政府」に賛同する市民も少なくなかっただろう。しかしこのコロナ禍をきっかけに市民の間でSUSの再評価の声が高まった。その理由はSUSの歩みが教えてくれる。中でもHIV／エイズ当事者運動が果たした功績は大きい。

軍政が1985年に終了し、市民が参画した憲法制定議会で2年をかけて起草された新憲法が88年に発効した。そして憲法第196条「健康はすべての人の権利であり、それを保障するのは国家の義務である」に基づいて、90年にSUSが創設された。しかし制度は形だけで、提供される医療はプライマリー・ケア

（疾病に対し、初期的・総合的に対応する地域の保健医療福祉機能）程度にすぎなかった。ちょうどそのころ、ブラジルではＨＩＶ感染流行が深刻化していた。まだ薬はなく、エイズは死の病と呼ばれ、陽性者へのひどい差別があった時代だ。

１９９６年、当事者団体が、エイズを発症した仲間を原告にして政府を訴える「薬よこせ裁判」を起こした。前年に海外で新薬が登場したばかりだった。憲法の条文を盾に「薬を原告に無料で提供するのは政府の義務だ」と求めたこの裁判に、司法はすみやかに原告勝訴の判断を下した。同様の訴訟を全国で繰り広げて、すべてに勝訴判決が出た。司法判断を受けて国会が動き、同年のうちに「エイズ治療をＳＵＳに適用する」と定める法律が制定された。それから他のさまざまな疾病の患者団体も次つぎと訴訟運動を起こし、そのたびにＳＵＳが拡充されていった。

こうして市民の力でつくり上げていった先に現在のＳＵＳがある。「憲法は使うものである」ということ、司法の独立性、三権分立、当事者運動の力、そして「社会は主権者の手で常につくり続けていくものだ」という民主主義の基本……。また当事者の政策参画によって「人権の尊重」がすべてのエイズ政策の基本理念に置かれるようになった。「陽性者を差別しない」という社会の意識はこのコロナ禍でも同様に重要だろう。ＳＵＳの歩みから日本の私たちは多くの示唆を得られるに違いない。

ポスト・パンデミックの地球の健康と食料主権

ＨＩＶのときもそうであったように、新型コロナウイルスの出現は、森林破壊が人類に未知の病原体をもたらすリスクを露わにした。人の健康は地球の健康とともにある。清らかな水や空気、多様性に満ちた生態系がなければ人は生きていけないはずだ。持続可能な社会のあり方をめぐるポスト・パンデミックを見据えた議論が必要とされている。

2020年7月、国際環境NGOのWRI（世界資源研究所）ブラジル支部が『新たな時代への新たな経済』と題する報告書を発表した。そこでは持続可能な小さな農業や自然エネルギーを推進するグリーン経済がブラジルに200万人の雇用と2兆8千億レアルの経済効果を生み出すと試算されている。一方、現政権は真逆の方向を目指す。アグリビジネス業界とともに進める、穀物生産や肉牛の牧畜を中心とした輸出用の大規模モノカルチャーである。森林破壊が進むアマゾンでは、高温化と乾燥化が年々進んでいる。現地に通うたびにそれを肌で実感する。

日本のように食料自給率の低い国は、安く大量に確実に食料を確保できる体制を担保する「食の安全保障」を求めてアグリビジネスの恩恵に浴してきた。日本はブラジルから、トウモロコシや大豆といった安価な農産品や、鉄鉱石やアルミ、レアメタルなどの地下資源を輸入している。しかし私たちの安全保障は、遠い国の自然破壊の上に成り立つものだ。破壊の影響は、気候危機の形で私たちにも襲いかかる。アマゾンの破壊は原因と結果の両方で日本の私たちとつながっている。

輸出増のあおりで国内食料価格の高騰が起きたように、アグリビジネスは自国民の食を必ずしも保障しない。利益も一握りの人間のものだ。ブラジルの農業人口の8割は家族規模の小農が占めている。このような小さな農の自律的な営みを守り、食料自給の力を高めていく「食料主権」が重要である。それは日本の私たちにとっても同じだ。リオデジャネイロのファベーラのコロナ対策では、近郊の小農団体がファベーラの人びとに新鮮な有機野菜や果物を届ける取り組みも行われた。連帯の姿に希望を見る思いがした。

おわりに――二元論を超えていく

日本に１度目の緊急事態宣言が出ていたときのことだ。「政府の指示に従うか従わないか」の議論をSNSで何度か目にした。たしか、「権力に自由を差し出してよいのか」という問題提起から出た議論だった。リオデジャネイロのファベーラでコロナ対策チームの中心メンバーとして活躍する友人にその話をすると、とても驚かれた。彼らにとって自主隔離は誰に従うものでもない。「命の権利を守る」というぶれない軸で自らが選び取ったものだったからだ。

「従うか従わないか」「感染防止か経済活動か」「アマゾン保護か経済発展か」――。このコロナ禍の間にも、いくつもの二元論が私たちの前に登場した。けれどその対立する二項は、果たして真の対称関係にあるのだろうか？

たとえば「経済発展のため」に実行されるアマゾン大規模農業開発は、ごく一握りの人のための発展である。そして森がなくなれば水は枯渇し、土壌も荒廃する。水や健全な土壌がなければもはや農業すら成り立たない。この場合のぶれない軸とは持続可能性であろう。

日本の菅首相は２０２０年９月の就任会見で「自助、共助、公助」を語った。まずは自力で、次に家族と地域で助け合い、最後に政府の助けを頼む、という論旨だった。世間では公助の部分が「国に面倒を見てもらう」という言葉で表現されることも多い。

ファベーラの友人たちにこの話をすると「主権者は誰？」と驚かれる。自助も共助も進めながら同時に主権者の権利として公助を要求していく――「そういうことじゃないの？」というわけだ。付け加えれば、自助や共助の自律的なあり方をエンパワーメントしていくのも公助の役割の一つだろう。

ブラジルの民衆運動を25年以上にわたり取材者として追いながら、いつも「これは民主主義のレッスンだ」と感じてきた。コロナ禍という逆境にあってなお本質を失わず底力を発揮する彼らから、また学ばされた。コロナ禍は社会のさまざまな矛盾や問題を露わにした。以前からそこにあったけれど放置されていた、もしくは見ないふりをしてきたことだ。ではパンデミック後に私たちはどのような社会を構築したいのか、その解が問われている。

【アフリカ】新型コロナワクチンを「国際公共財」に
——感染症との闘いが鍛えた社会運動

稲場雅紀

感染者数を相対的に低く抑えてきたアフリカ諸国

新型コロナウイルスの感染が世界に広がる中、「アフリカに感染が拡大したら大変なことになる」という予測が当初から存在した。ロンドン大学衛生熱帯医学大学院が行った「ＣＯＶＩＤ-19拡大予測」（２０２０年３月20日）によれば、20年の４月ごろにはアフリカ55カ国のほとんどの国で１０００人以上の感染者が出て、５月半ばには各国で１万人を超えるというものだった。しかし、アフリカ連合とアフリカ疾病予防管理センター（ＣＤＣ）によれば、たしかに５月に感染者は増えたものの、前記の予測よりもかなり低い水準に抑えられてきた。

同センターは、２０１３年にギニア、リベリア、シエラレオネの３カ国を中心にエボラ・ウイルス病（エボラ出血熱）が流行し１万人以上が死亡した教訓をふまえ、アフリカ全体で感染症対策を統合的に行うために16年に設立された。米国ＣＤＣや中国の同様の機関とも連携をしている。アフリカＣＤＣが公表した各国の感染状況によれば、20年５月19日時点で、アフリカ全体の感染者数は約８万８０００人、死者は

2834人だった。21年3月時点でも、サハラ以南アフリカの割合は、感染者数で世界全体の3・4%、死者数でも3・8%にとどまっている。アフリカ全体の人口が13億人であることを考えれば、この数字は非常に少なく、ブラジルなど感染者数が多い新興国と比較しても各段に低い感染者・死者数であることが分かる。地域別で見てみると、パンデミック初期段階では、死者は北アフリカに集中しており、アフリカ全体で2834人の死者のうち1445人が北アフリカ、特にエジプト、モロッコ、アルジェリアの3カ国が占めている。サハラ以南アフリカを見ると感染者は約6万人だが、死者は1389人と必ずしも多くない。こうした数字を見ると、「アフリカでは検査もできないから実際の数字はもっと多いだろう」という予断がなされがちだ。しかし、たとえばモーリシャスでは20年5月10日の時点で1万人あたりの検査数は579人、ジブチでは1557人と、日本と比べてもはるかに多い検査数を実施してきた国もある。つまり、「アフリカは検査もできない」というような予断は、少なくともこれらPCR検査数が多い国ぐにには通用しない。その意味でアフリカは現在まで一定の健闘を見せてきたと言える。

常に感染症と実践で闘ってきたアフリカ大陸

実際、アフリカの強みはどこにあるのか。まず、HIV/エイズにせよ結核、マラリアにせよ、アフリカは常にこれら感染症と実践で闘ってきた大陸であることを指摘したい。

マラリアは急性感染症であり、病院が遠かったり耐性マラリアで薬が効かなければ死亡することもあり得る。私たちは今回、新型コロナウイルスの脅威に直面しているわけだが、アフリカはそれと同じような状況に普段から直面し続けているのだ。さらにコンゴ民主共和国ではエボラ・ウイルス病が2年前から流行し、深刻な状況が続いてきた。この闘いの経験から、アフリカ各国では、感染症についてシミュレーションができていた国が多かった。特にアフリカは現在、中国をはじめ東アジアとの関係を密接に持っているため、武漢で流行が起こった際、アフリカにもその影響が及ぶと察し、1月からコロナ対策の戦略を形成してきた。

さらにアフリカ大陸全体での対処も早く、アフリカCDCは3月5日に大陸レベルの戦略を発表し、国別対策マニュアルも整備した。南アフリカでは3月15日に国家災害宣言をし、26日にはロックダウンに入ったが、この段階で1名の死者も出ていなかった。同様に多くの国は迅速にロックダウンを行った。このとき南アフリカの人びとの心を一つにしたのが、以下のシリル・ラマポーザ大統領の演説だった。大統領はもともと反アパルトヘイト運動の担い手の一人である。

「あなた方一人ひとりに感謝する。５８００万人の南アフリカ市民と住民が一丸となって、この国家的な健康上の緊急事態に立ち向かっている。

毎日明け方に起きて、この国を維持するために夜通し働いている男性と女性がいる。私たちに食料を供給してくれる農民・農業労働者がいる。老人ホーム、児童養護施設、ホスピスには、最も弱い立場の人たちの世話をするために毎日出勤する介護従事者がいる。タクシーの運転手、ごみ収集員、スーパーのレジ係、病院の清掃員、そして必要不可欠なサービスに従事するすべての人たち。あなたたちは知られざるヒーローであり、私たちはあなたたちに敬意を表する。（中略）

私は成功を確信する。なぜなら、このコロナウイルスの脅威を真剣に受け止め、社会に適応し、全員が責任を持って行動するからである。私たちが協力し、進むべき道を守れば、この病気に打ち勝つことができる。私たちは、この病を克服する」

アフリカ各国ではさまざまな形で自分たちの力を使って、どうやってコロナから自分たちを守るのかという取り組みが始まった。たとえばアフリカの布を使ったマスクだ。実はアフリカ布の美しいマスクは世界各国でも人気となっており、日本でも販売されるようになった。あるいは、新型コロナウイルスに関する啓発ソングも各所で作られた。ウガンダの有名な歌手で国会議員でもあるボビ・ワイン氏は〝Corona Virus Alert(コロナウイルスに注意せよ)〟という歌をYouTubeで配信して、コロナから身を守ろうというメッセージを送った。

アフリカでは、コロナ以前からエイズや感染症に対して、市民社会や当事者運動が長く闘ってきた。たとえば結核に関する提言活動が功を奏したことから、米国製の自動遺伝子検査装置がアフリカ各国にかなり普及している。今回のコロナ感染拡大に際し、多くの国でこの検査装置を使ってＰＣＲ検査を行っているのだ。全自動のＰＣＲ検査装置は日本の都道府県の衛生研究所には装備されていない。その意味ではアフリカでこの20年間、力を入れてやってきた感染症対策がコロナ対策にも役に立っている。

アフリカ各国間・国際機関との連携も迅速に行われた。アフリカ連合とアフリカＣＤＣ、エチオピア航空が協力し、アディスアベバに物資供給の拠点を置き、各国に必要な物資を送るという動きを、２０２０年４月というかなり早い段階から実施している。アフリカ連合の50年間長期戦略として採択された「アジェンダ２０６３」以降、アフリカ自身の力を使って問題を解決しようという、「新たなパン・アフリカニズム」も力を増してきている。感染症との長い闘いについて、私たちがアフリカから学ぶという視点が重要であろう。

構造として見えてきた課題――シンデミックと人権

では、今後、アフリカにおけるコロナ・パンデミックを中長期で見通したときに、今後も流行が低レベルで推移すると考えられるかと言えば、そうではない。感染初期の第一波は各国の積極的な取り組みで防いできたわけだが、ウイルスが定着してしまい、特に都市の貧困層の中に拡大すると、深刻な状況となる可能性がある。アフリカ各国で進む社会構造の変化があるからだ。

パンデミックになぞらえて「シンデミック」という言葉がある。すでに負荷を受けている集団にいくつかの疫病が重なりその相互作用によって疾病負荷をさらに悪化させ、その集団の脆弱性をいっそう高めている状況を指す。アフリカは人口全体の8割を40歳以下が占めるとても若い大陸だ。新型コロナウイルスによって重症化するのは主に高齢者であるため、アフリカへの影響はさほどないと考える傾向がある。

しかし考えておかなければならないのは、新型コロナウイルスは若い人であっても、肥満や非感染性疾患（高血圧、糖尿病、癌）、肺疾患、免疫障害などがある人には重症化リスクが高いということだ。たとえばエイズ患者にとっては、今回のような外出制限措置や国境封鎖によって医薬品が届かなくなれば命に関わる問題になる。もう一つは肥満や非感染性疾患だが、アフリカでも近年、都市貧困層の間で肥満が増加している。

このようにシンデミックは、さまざまな社会的・経済的要因があわさって、人びとを構造的に病気に追い込んでいく。たとえば都市貧困層は食の選択肢が非常に限られ、安全な水へのアクセスもない場合が多い。食生活がジャンクフードや清涼飲料水に依存することにならざるを得ず、当然肥満が増えていく。こうしたジャンクフードや清涼飲料水は、巨大なグローバル企業が非常に安い値段で販売していることがほとんどである。また都市では大気汚染が深刻であり、肺疾患につながる。気候変動の影響で農業が続けられなくなり、農村を離れて都市へ流入する人も増えている。都市スラムは人口密度も高く、生活環境が劣悪な場合が多い。これらの要素が混ぜ合わさって、コロナが重症化する方向に人びとを追い込んでいく。

もう一つ、新型コロナウイルス感染拡大の中で、顕在化した課題がある。多くの国ぐにで外出禁止令の取り締まりに過剰な暴力が使われた。南アフリカやケニアでは取り締まりの暴力によって死亡した人もいる。外国からの帰国者の「自己検疫」に関する不適切な取り扱いもあり、ケニアでは訴訟に至っている。あるいは、表現の自由に関わる課題として、自国での新型コロナウイルスの状況を報道しようとしたジャーナリストやブロガーが逮捕される事件もいくつかの国で起こった。その他、障害者、少数民族、LGBTなどのマイノリティの医療アクセスの問題やメンタルヘルスなど、課題も多く残されている。

長期的に見れば、これから来る経済危機の問題がアフリカに大きな影響を与えるだろう。先進国で職を失った人たちは当然本国に送金ができない。実際、アフリカに注がれる政府開発援助（ＯＤＡ）の額より送金される額の方が多いという状況下で、アフリカへの送金額が急速に減少すれば、貧困国が国際機関等から借り入れた債務を返済できなくなるという問題も再燃する恐れがある。

医薬品アクセスを阻む知的財産権の免除を要求

２０２０年夏以降、アフリカを含む途上国・新興国でも新型コロナウイルスの感染は収まっていない。こうした国ぐにではワクチン・治療薬・診断薬などの医薬品や検査キット、個人防護具（ＰＰＥ）など、新型コロナウイルスに対応する物資が不足している。多くの国が不安を抱き、「国内生産できるものは国内生産しよう」という動きが広がっている。これについて、特許などの知的財産権が生産の障害とならないよう、世界貿易機関（ＷＴＯ）の「貿易関連知的財産権免除協定」（ＴＲＩＰｓ協定）で規定されている知的財産権の一時停止を求めて、20年10月2日、インドと南アフリカ共和国の政府がＷＴＯに呼びかけた。

この提案の背景には、先述したようなアフリカにおける１９９０年代のＨＩＶ／エイズ蔓延の時代からの歴史がある。途上国における必須医薬品や医療物資への平等なアクセスの確保と知的財産権保護の矛盾は、90年代のエイズ危機の中でも指摘されてきた。先進国の製薬企業が作る治療薬が、特許権という壁に阻まれてアフリカなどの貧困国には届かなかったのである。こうした状況に対し、市民組織や当事者団体は、先進国による特許保護に異議を申し立て、人びとに医薬品を提供できるよう、激しい闘いを展開してきた。

その結果、２００１年のＷＴＯドーハ特別宣言で、保健上の危機に直面した際には、各国が主権を行使して医薬品特許の「強制実施権」を発動できることが確認された。これによって、たとえばある国でエイズなどの感染症が蔓延した場合、製薬企業が持つ特許権を無効化して自国で医薬品を製造したり、輸入したりすることが可能となった。いわゆる「ＴＲＩＰｓ協定の柔軟性」と呼ばれるものだ。

また、航空券連帯税を原資とする国際機関「ユニットエイド（ＵＮＩＴＡＩＤ）」は、医薬品を定期的に大量購入し、それを途上国に低価格で供給するという取り組みも開始した。さらに、新たに開発された医薬品の知的財産権を一括管理してジェネリック薬企業とマッチングし、安価なジェネリック薬を生産して低所得国・中所得国に提供する「医薬品特許プール」（ＭＰＰ）といった仕組みの整備なども進んだ。これらはすべて、アフリカにおけるＨＩＶ／エイズの医薬品アクセスを求める運動が獲得した大きな成果だった。

一方、ドーハ宣言以降に次つぎと締結されていった自由貿易協定・経済連携協定などでは、ＴＲＩＰｓ協定で「20年」と定められている医薬品特許について、本質的でない変更を加えて延長する「常緑化（エバーグリーニング）」や、臨床試験データの独占期間を延長する「データ保護」など、医薬品関連の知的財産権保護を強化する「ＴＲＩＰｓプラス」の条項を導入しようとする動きも存在する。利益を求める製薬企業と、医薬品アクセスを求める貧困国や国際市民社会の運動との間で、特許をめぐるせめぎ合いはいまも続いているのである。

南アフリカ・インドの呼びかけに国際市民社会が呼応

こうした歴史の延長上に、今回の南アフリカ・インドのＷＴＯの知的財産権保護規定の一部停止の提案がある。２カ国の提案に対し、モンゴル、パキスタン、エジプト、ケニア、モザンビーク、ジンバブエ、エスワティニ王国、ボリビア、ベネズエラが共同提案国に加わり、途上国を中心に約１００カ国が賛同の意思を表明している。またＷＨＯなどの国際機関も肯定的な見方をしている。

国際市民社会からも多くの支持が集まっている。草の根からのプライマリー・ヘルス・ケアの促進を目指す「世界民衆保健運動」（People's Health Movement：ＰＨＭ）は、インド・南アフリカの呼びかけを支援し、知的財産権による技術独占を打破するためのキャンペーンを開始することを呼びかけた。また、マレーシアのクアラルンプールに本拠を置く「第３世界ネットワーク」（Third World Network）による、インド・南アフリカ政府の呼びかけを支持する声明には、アフリカやアジア、ラテンアメリカの団体を中心に、

2021年２月、南アフリカの米国大使館前でのアピール。ワクチン等にかかる特許の一時的な停止を求める南アフリカ・インドなど途上国の提案に対し、米国・EU・日本など先進国は「反対」の姿勢を崩さない　©Candice Sehoma/MSF

４００団体近くの賛同が寄せられた。その中には、南アフリカでＨＩＶ治療アクセスの実現に取り組んできた「治療行動キャンペーン」（ＴＡＣ）や国際保健医療ＮＧＯである「世界の医療団」、「国境なき医師団」の必須医薬品キャンペーン、また世界の労働組合の連合組織である国際労働組合総協議会（ＩＴＵＣ）や地方公務員の労働組合連合の国際組織である国際公務労連（ＰＳＩ）なども名前を連ねている。

このように多くの国ぐにが提案に賛成している中、日本や米国、ＥＵなどの先進国は真っ向から反対をしている。その主な理由は、「知的財産権は研究開発の重要なインセンティブである」「ワクチンなどの平等なアクセスを阻害しているのは各国の製造能力や保健医療システムの問題であり知的財産権のせいではない」

等々であるが、こうした先進国の論理に途上国側はまったく納得しておらず、両者は賛否を巡り激しく対立している。

私たちは、南アフリカ等による提案が、現在の世界の状況に対応する「やむにやまれぬ」ものであることをまず認識する必要がある。たしかに国際社会は、新型コロナウイルスのワクチンや医薬品、診断薬や機材等の開発と供給を一体で手がける「ACTアクセラレーター」(COVID-19関連製品アクセス促進枠組み)を設置し、ワクチンについては、この枠組みの中に「ワクチン・パートナーシップ」として「COVAX」を設置して、公共的な開発促進と調達の仕組みを整えた。しかしたとえばACTアクセラレーターは、2021年3月時点でも229億ドルもの資金が不足しており、特に途上国へのワクチンや医薬品の供給について、十全な機能を果たせない状況が続いてきた。その一方で、欧米や日本など富裕国では、なりふり構わぬ「ワクチン国家主義」とも言えるワクチン争奪戦が繰り広げられている。こうした中で、ワクチンや治療薬、診断薬等の調達をこれらの枠組みに頼らざるをえない途上国から、今回のような問題提起があるのは当然のことである。

新型コロナウイルスはグローバルな課題であり、先進国だけが防げれば済む問題ではない。異次元の危機には異次元の未来志向の対応が必要であり、これまでのやり方や原理に拘泥していては活路は開かれない。日本の私たちに求められているのは、アフリカをはじめ世界の市民社会から学び、グローバルな危機に対して連帯してすべての人へ医薬品や治療のアクセスを確保していくことではないだろうか。

第3章

未来への提言

ポスト資本主義のビジョン
――気候正義と〈コモン〉の再生を

斎藤幸平

パンデミックと気候危機――なぜ大胆なアクションが必要なのか

２０２０年、新型コロナウイルスの感染拡大によって、私たちの生活は一変した。これまでの常識が非常識になり、誰もが「本当にいままでのやり方でよかったのか？」と、立ち止まらざるをえなくなった。日々満員電車で出勤しなくても、テレワークが可能な仕事があることにも気づいた。同時に、ごみ収集や、保育や介護に従事するエッセンシャル・ワーカーがいるからこそ、緊急事態宣言のもとでも自分たちの生活が成り立つことにも気づかされた。社会の中で本当に必要なものが何なのかに気づき、これまでの価値観を見直し、反省する機会になったわけだ。

一方、「経済のV字回復」「新しい生活様式」という言葉とともに、「元の生活に戻りたい」という欲求も、人びとの中に強固に存在する。しかし危機が起こり、常識が非常識になったこの瞬間、私たちは大きな分岐点に立っていることを忘れてはならない。ここでどういう選択をするのかが、今後の社会、文明、人類のあり方を決める。これは決して大げさな話ではない。

というのも、私たちはより大きな危機である気候危機にも直面しているからだ。これまで通り二酸化炭素排出を続ければ、産業化の前と比較して、２０３０年には１・５度、２１００年には3～4度平均気温が上がってしまう。科学者たちは、２１００年で１・５度の上昇レベルにまでに抑えなければならないと警告している。もしここで経済のＶ字回復が実現してしまえば、危機前の状態に戻る。つまり、それは破局への道だ。だから、別の道を模索しなければならない。

２０２０年10月、菅政権は「２０５０年までに温室効果ガスの排出量を実質ゼロとする」とようやく言い始めたが、これを本当に実現しようとすると、これから毎年二酸化炭素排出量を7～8％減らさなければならない。コロナ禍で世界の二酸化炭素排出量は約７％減少したと言われるが、これと同レベルの削減を毎年やらなければいけないのだ。炭素税や排出権取引などの対策だけでどうにかなる話ではない。危機をここまで進行させてきたのが資本主義であったことを考えれば、市場の論理に任せればうまくいくというのは楽観的すぎるだろう。

あと10年で二酸化炭素排出量を半分にするためには、ある種の計画経済のようなものを考えなければならない。それほどの危機的な状況に私たちはいる。たとえばガソリン車の販売を禁止したり、国内線の飛行機を禁止したり、石油産業を国有化するなどの措置を、国家が決断し実行しなければいけない。要するに、資本主義あるいは新自由主義のもとで進められてきた市場原理とは真っ向から対立するようなフェーズ（局面）に入りつつあると認識することが重要なのである。

SDGsは「大衆のアヘン」

この危機を真剣に受け止めるなら、小手先の対策では意味がない。たとえば、マイボトルやマイバッグを持って、「自分はいいことをやってる」と思うことで、結果的にいま本当に必要とされている大胆なアクションを起こさなくなってしまう。企業の側も、国連持続可能な開発ゴール（SDGs）や「環境にやさしいブランド」を掲げることで、本質的な問題を見えなくさせている。

たとえば、Amazonは現在、地球環境や労働者の権利を保護する目的の森林認証（FSC）や、フェアトレード認証など19認証のうち1つ以上を取得している商品に、緑色の「クライメイト・プレッジ・フレンドリー（気候フレンドリー）」ラベルを表示するという。しかし、19の認証のうち1つだけを満たすのは、企業にとってはたやすいことだ。

あるいはマクドナルドは、「ハンバーガーでSDGs」というキャンペーンを行っている。なぜハンバーガーがSDGsなのかというと、「フィレオフィッシュの魚はアラスカ産の天然魚」「包装紙は持続可能な森林の紙」なので、エシカル（倫理的）でサステイナブル（持続可能）だという話だ。

しかし、そもそも大量生産・大量消費のファストフードの象徴であるマクドナルドの商品を食べること自体、まったく持続可能ではないし、世界中にサプライチェーン（原材料の調達から、製造、流通、販売、消費までの一連の流れ）を巡らせ、モノを大量に移動させるAmazonのようなシステムも、持続可能ではない。

生産と流通のあり方やライフスタイルを根本から変えていかなければならないときに、「認証が付いているから素晴らしい」「私はエシカルな消費者だ」と消費者が思ってしまえば、どうなるだろう。大胆なアクションを行わないまま、これまで通りの生活を続けるための免罪符を与えてしまうことになりかねない。いま本当にやるべきことは、たとえば石炭火力発電の即時停止やガソリン車の販売禁止というレベルでのアクションで、決してＳＤＧｓや気候フレンドリーなブランド商品をさらに買って、消費することではない。

現在の資本主義のもとではＳＤＧｓは達成できない。本気でＳＤＧｓを実現しようとするのであれば、究極的には資本主義そのものを乗り越えなければならないということだ。しかし残念ながら、少なくともいま日本で言われているＳＤＧｓはそうした議論とはかけ離れたところで行われ、企業のＰＲの道具になってしまっている。これが私の言う「ＳＤＧｓは大衆のアヘン」ということの意味だ。

技術という神話が生み出す「生態学的帝国主義」

気候危機に対する大胆なアクションから私たちを遠ざけているもう一つの要因は、技術信仰だ。経済成長によって新技術が開発されれば、気候危機も解決されるはずだ、という主張である。たとえば福島第一原発事故の後、「もっと安全な原発を造れば大丈夫」と言われた。気候危機対策として、小型炉だけでなく、クリーンな電気自動車や電気飛行機、水素飛行機なども注目されている。あるいはネガティブ・エミッション・テクノロジー（大気中の二酸化炭素を吸収して地底に埋める技術）や、ジオエンジニアリング（大気中にエアロゾルと呼ばれる粒子を散布することで太陽光を遮断し、地球を冷却する技術）も開発されている。

しかし、こうした技術で地球規模の危機に立ち向かおうとすれば、ますます巨大な規模の設備や原材料が必要になり、それはさまざまな問題を引き起こす。たとえば、ネガティブ・エミッション・テクノロジーには、バイオマスを使って二酸化炭素を吸収し、地中に埋めるＢＥＣＣＳ(Bioenergy with Carbon Capture and Storage)がある。だがバイオマスを用いて米国で必要とされるエネルギーをまかなおうとすると、大量のバイオマスを生産するためにインドの面積の2倍もの農地が必要になるという。そんな土地がいったいどこにあるのだろうか。

あるいは、炭素回収貯留(Carbon Capture and Storage：ＣＣＳ)システム付きの発電設備も開発されているが、採算が見合うかどうか不透明であるだけでなく、米国の発電をまかなうためだけでも、年間１３００億トンという大量の水が必要となる。すでに現在、米国では大量の農業用水を使用しているが、その一方で、気候危機の影響で、深刻な水不足も懸念されている。こうした中、さらに大量の水を使用することにどんな意味があり、それは可能なのだろうか？

電気自動車も同じだ。今後すべての自動車を電気自動車に置き換えようとしたら、膨大な電力が必要となる。それだけの電力を太陽光発電などでまかなおうとすれば、バッテリーや電池に大量のリチウムが必要だ。リチウムという資源はチリやボリビアなど一部の国にしかなく、採掘する際に膨大な地下水をくみ上げ、蒸発・濃縮しなければならない。当然、生態系に負荷をかけ、現地の人びとの暮らしに甚大な影響を及ぼす。

資本主義のもとで「脱二酸化炭素」を目指すその背後で、実は周辺国においては他の資源が激しく収奪されていく。言わば「生態学的帝国主義」というような資源収奪型で地球や生産地の人びとに負荷をかける新しい形の帝国主義が形成される。これは「気候正義」に完全に反している。

グリーン・ニューディールという現実逃避

コロナ禍の以前から世界では「グリーン・ニューディール」政策が模索されている。グリーン・ニューディールは、「緑の経済」への移行に向けた大型財政出動や公共投資によって、安定した雇用を生み出し、有効需要を増やして景気を刺激することを目指す。それによって、持続可能な緑の経済への移行を加速させるというものだ。

「緑」に投資が行くこと自体は歓迎すべきだが、実は資本主義の枠内で進んでいるという意味で、グリーン・ニューディールは資本家にとっても歓迎すべきものだ。しかし、経済成長を求め利潤を優先する資本主義の論理のもとで、いま科学者たちが求めている水準の対策が本当にとれるのか、また誰にとっても平等で公正な「気候正義」が実現できるのかは疑わしい。先進国の米国、ＥＵ、日本、そして中国も含めた国ぐにの二酸化炭素排出はある程度減っていくとしても、その裏にはすさまじい抑圧や搾取が生まれるのではないか。もしくは、経済成長を求め続ける結果、２０５０年のゼロ目標には到底間に合わないような結果が待っているかもしれない。

経済成長を続けるためには、より多くのモノを生産し続けなければならない。ＧＤＰを増やすために否応なく物質的な生産・消費、そして廃棄を続ける限り、二酸化炭素排出量を削減すること自体が非常に困難となる。つまり、経済成長と脱炭素化は根本的に相容れない。有限な地球の資源、有限な地球のスペースの中で、無限の経済成長を目指すのは無理であるということだ。

だから私たちは「緑の資本主義」ではなく、どこかでこの資本の論理と対峙し、経済成長の論理から決別しなければならない。消費量、生産量、そして廃棄量を抜本的に減らす試みを意識的に導入し、資本主義そのものにブレーキをかけ、スローダウン、スケールダウンしていく。そうしない限り、2050年の脱炭素化目標は実現困難である。

いまこそマルクス！——想像力の貧困から脱する

こうした難しい状況での最大の問題は、私たちの想像力が貧困化してしまっていることだ。SDGs的なスローガンも、新技術という神話も、そしてグリーン・ニューディールへの期待も、究極的には「いままで通りの生活を維持したい」という動機に基づいている。つまり、資本主義という経済システムそのものにチャレンジしないいまま、市場・技術・政策が社会をいい方向に変えてくれるだろうという期待に基づく未来のビジョンだ。こうした期待が、未来を描く力を弱めている。

しかし、いま本当に思い描かなければならないのは、たとえば車に頼らなくても生きていけるような社会だ。脱成長社会において、どうやったらみんなが豊かで平等に生活できるのかということを、知恵を出し合って考えるべきではないか。

そこで、マルクスである。彼は資本主義を体系的に批判し、別のシステムを思い描こうとした。いまなぜマルクスが必要なのかという理由の一つは、格差、階級闘争の問題があるからだ。気候正義と格差の是正は、同時に追求しなくてはならない。

単純に言って、二酸化炭素を圧倒的に排出しているのは、富裕層である。富裕層は貧困層よりも飛行機をより多く使い、プライベートジェットやクルーズ船も持っている。世界中に豪邸を持ち、移動しながら

図1　世界の富裕層・中間層・貧困層の人口比とCO2 排出量の割合

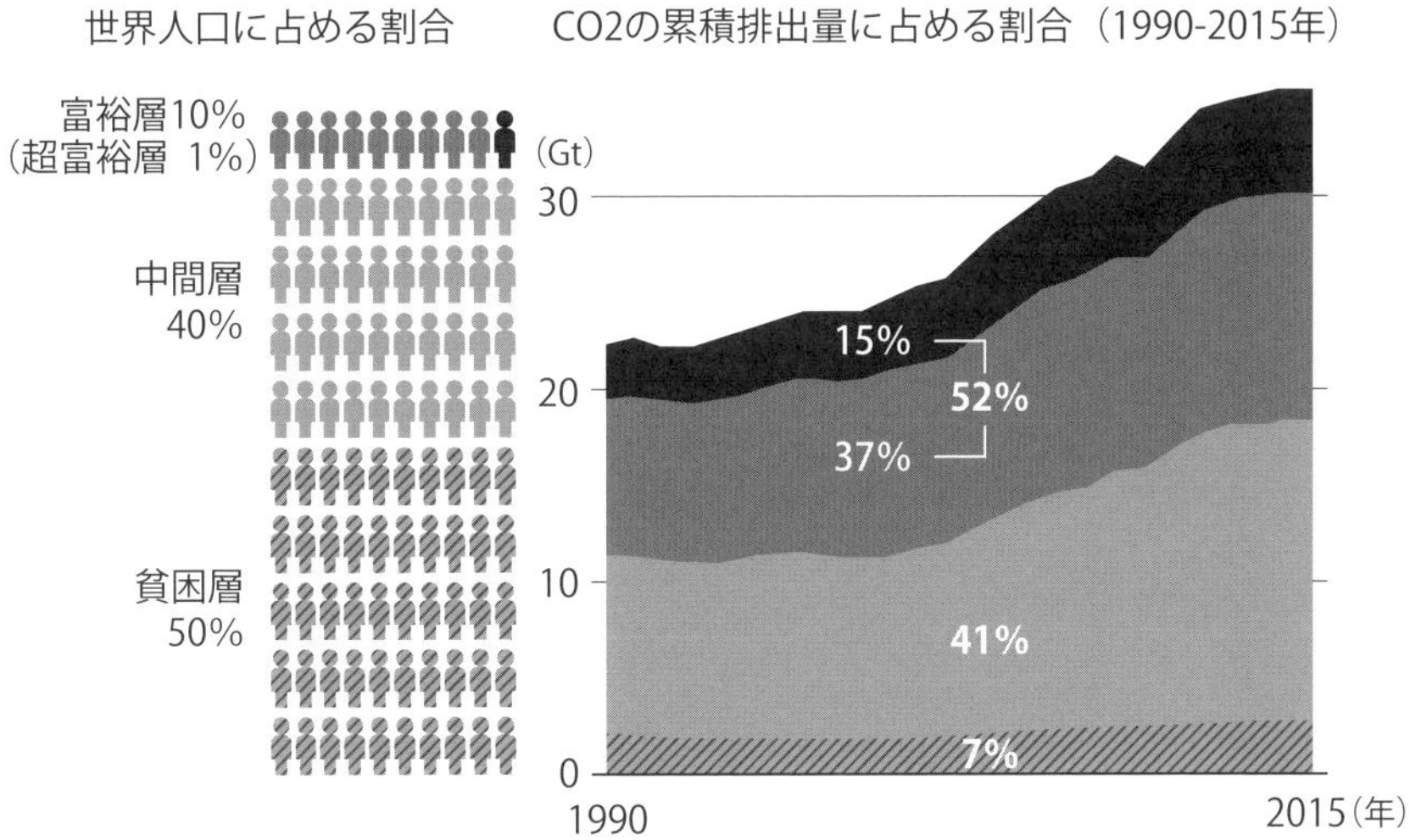

※Gtはギガトン＝10億トン

（出典）オックスファム・アジア
https://asia.oxfam.org/latest/press-release/wealthiest-1-users-twice-much-carbon-31bilion-people-asian-emissions-grow

高級食材を使った食べ物を食べ、モノも買う。

世界の富裕層トップ1%の人たちが排出する二酸化炭素量は、全排出量の15%を占め、所得が下から半分の約38億人が排出する量（7%）のなんと2倍以上である（図1）。

しかし、気候変動の影響を受けて最初に犠牲となるのは、所得下位50%の人たちだ。誰が二酸化炭素排出を最初に減らさなければならないのかは明らかだろう。

こうした構造に終止符を打つためにも、マルクスの思想は読み直す価値がある。資本主義の論理の中では格差の構造を根本的に是正するような対策は出てこないからだ。事実、再生可能エネルギーや電気自動車ばかりが気候危機対策として注目され、格差の話は周辺化されている。資本主義社会の矛盾は見えなくされてしまっているのだ。

脱成長コミュニズムの潤沢さ

資本主義のもとでは、生活に必要なモノのほとんどが商品化され、一部の人たちが利益を得るようになっている。それだけでなく、たとえばAmazonの台頭によって書店は次つぎとつぶれ、書店文化や読書文化のような共有財産も消失していっている。私たちが持っていた水や土地、文化、知識、自然などの共有物を解体して独占し、それを使って金儲けをするシステムができあがっている。

こうした資本主義を乗り越えて、みんなが自治・管理してみんなでシェアできる領域としての〈コモン〉を再生し、増やそうというのが「脱成長コミュニズム」だ。ソ連の目指した社会主義での国有化でも、資本主義・新自由主義のもとでの民営化・私営化でもなく、第三の道としての「市民営化」と理解してもらってもいい。

〈コモン〉の領域は、水道や電力、住宅、公共交通機関、医療、教育、介護などさまざまだ。こうした生活に必要な領域を、無償化あるいは公営で廉価に提供する。そうすれば私たちの生活に必要なお金も減り、労働時間を減らそうというインセンティブも出てくるだろう。これまでは生活のためのお金が必要だから、多くの人が社会になくてもいいような仕事を必死にやり、そのせいで不必要なモノを大量に生み出し、さらにそれを広告で大量に売りつけるという悪循環があった。それを止めれば、労働時間も減って無駄なモノも作られなくなり、環境負荷も減る。この新しい良い循環を生み出すことが、脱成長コミュニズムへとつながる。

たとえば、地域電力を例に考えてみよう。現在、住民が払った電気代は大都市の電力会社に吸い上げられてしまっているが、地域電力をつくれば、地元でつくった電気の料金は地元で循環し、雇用も生まれ、再生可能エネルギーを増やしていくこともできる。さらに事業の利益をどう使うかを市民も一緒に考えることで、地域社会の活性化もできる。環境と経済と地域活性化を三位一体的に促進できるモデルだ。いままで大企業・大都市にすべて持っていかれてしまったものを、もう一度人びとが管理できるような規模に落としていく。

実際に、ヨーロッパでは自治体がいったん民営化された公共サービスを再公営化したり、地域で電力をつくるなどの動きがある。あるいは、投資目的の住宅を規制するために土地取引に制限をかけようとしている。公営住宅を増やしたり、途上国の労働者を搾取しないフェアトレード製品をまちに増やしていこう、貧困をなくしていこう、というように、いろんな発想や力学が変化しつつ、市民が参加しながらまちづくりを行っている。これも〈コモン〉の実践の一つだ。

もちろん、〈コモン〉だけがあればよいわけではなく、国家や自治体がやらなければならないこと、できることは多数ある。

保険医療制度の解体や社会保障への財政カットは、パンデミックが先進国に広がる一つの要因となった。緊縮財政やそれを正当化するイデオロギーである自己責任論は、明らかに成り立たないことが分かり、いまや国民全員に一律に現金を給付するような、「みんなを守る政策」が必要になった。政府が企業にマスクや人工呼吸器の生産を命じたり、場合によっては国家が私営病院を国営・公営化するなどの市場への介入も必要となった。興味深いのは、コロナ禍で多くの国でロックダウンや商店の営業規制など国家による市場介入が行われたとき、人びとの多くがそれを受け入れたことだ。危機の際、国家ができることは思ったよりも大きい。

ただし国家に任せておけばそれでいいと言うわけでもない。原発を見ても分かるように、国家や大企業だけに任せてしまえばこれからも原発が増え続けるようなことになりかねない。だから、たとえば電力は地域で分散型にし、住民が意思決定に参加できるようにする。水道も、大規模なダムを造るのではなく、小規模で管理できる技術や各家庭で雨水を浄化できるシステムを使って、もっと分散型にしていく。このように国家の動きとコミュニズムの運動を同時進行で進めることが重要になる。

新しい価値観——ジェネレーション・レフトの出現

いま世界では、「社会主義」が再び登場してきている。米国のバーニー・サンダースや英国のジェレミー・コービンなど、社会主義を掲げる政治家の影響力が、若者たちの間で広がっている。同時に、グレタ・トゥーンベリたちのFridays For Future（未来のための金曜日：FFF）や、ブラック・ライブズ・マター（BLM）、#MeTooなど、国際的な社会運動の中心を担うのは若者世代だ。

1990年代半ば以降に生まれ、現在24歳以下の若者世代は、「Z世代」と言われている。Z世代は、非常にラディカルなアイデアを持ち、圧倒的に左翼的な思想を受け入れている。一方、もう少し上の20代後半から30代後半の世代は、「ミレニアル世代」と呼ばれるやはりラディカルな世代だ。この2つを合わせて「ジェネレーション・レフト（左翼世代）」と言われている。

彼・彼女らにとって、資本主義は自明のものでもなければ、素晴らしいものでもない。多額のローンを背負って大学に進学しても、その後の雇用も不安定で医療費も高い。年金ももらえないし、老後の貯蓄もできない。深刻な格差社会が進み、さらにそこに気候危機も加わってくる。若者にとっては、このまま資本主義を続けていっても明るい未来などないし、むしろマイナスの方が大きいと感じる。この感覚は34歳である私自身もよく分かる。

『ジェネレーション・レフト』（*Generation Left*, 2019）を書いた英国の政治学者、キア・ミルバーンによれば、若者が左傾化する一つの要因は、「出来事」をどのように経験したかで変わってくるという。たとえば世界を揺るがすような歴史的な事件が、ある日突然やってきたとき、それをどのように経験するのかは世代によって異なる。リーマン・ショックや福島第一原発事故、新型コロナウイルスなどの大きな出来事は、大きなショックを人びとに与え、既存の秩序やコモンセンス（常識）を不安定化させる。

そのとき、さまざまな社会集団は自らの経験や共通感覚を頼りにその出来事を解釈し、意味づけをし、最終的に秩序を取り戻していく。年上世代ほど目の前の出来事をいままでの経験に照らし合わせて解釈しがちであり、資産を守るために早く経済が安定化し元の世界に戻ることを望むだろう。

それに対して若い世代は、そもそも参照する経験もなく、既存のシステムのもとでまったく利益を得ていない。守るような資産もない。ショックを契機に、「それならばもうこんなシステムはやめてしまおう」となる。つまり若い世代はショックをきっかけとして新しい秩序を志向し、ラディカル化・左傾化する可能性があるとミルバーンは言う。

しかし同時に、そこには条件がある。ショックと混乱が起こったとき、別の道が選択肢として若者の前に提示されていることだ。それがなければ、彼・彼女らはむしろ既存の道で何とかして生き残ろうと、保守化していってしまう。

ミルバーンは、別の道があるということを理論や社会運動は示す必要があると述べ、そのきっかけを「剰余の瞬間」（moment of excess）と呼んでいる。剰余の瞬間は、議会政治の中から生まれるのではなく、議会の外の社会運動の側から働きかけ、新しい政治の可能性を切り拓くものである。

その代表例がまさに「未来のための金曜日」運動だ。グレタたちがパンデミックの最中に世界の首脳たちにあてた公開書簡の中で、グリーン・ニューディール的な発想を批判し、資本主義から脱成長型のポスト資本主義への大きな転換を迫っていることは注目に値する。

「私たちは存亡のかかった危機に直面している。この危機の解決策は、買ったり、建設したり、投資することで手に入るものではない。気候変動対策の財源を確保するために、気候危機を本質的に促進している経済システムを『回復』させようとするのは、端的に言って、馬鹿げている。私たちの現在のシステムは『壊れている』のではない。現在のシステムは、まさにそれがすべきこと、自らに課されたことを実行しているにすぎない。だから、もはや『修理』することなどできない。必要なのは、新しいシステムなのだ。」（筆者抄訳　https://climateemergencyeu.org/）

彼女たちはコミュニズムや社会主義という言葉を使ってはいないが、明確に脱成長の方向性を示している。「いまの資本主義は壊れているわけではなく、むしろ正常に機能してきた結果がこれなんだ」ということ、そして資本主義の枠内で緑の資本主義を実現しようという大人たちに対して、「それじゃあうまくいかないんだ、もっと新しい経済システムで、気候正義を実現する対策をとってください」と言っている。こうした声こそがまさにミルバーンの言う「剰余の瞬間」で、こうした声があるからこそ、社会はその方向に向かうことができる。このことを誰も言わなければ、粛々と緑の資本主義が進んでいくだけである。

ジェネレーション・レフトを「世代論」で終わらせないために

ジェネレーション・レフトの価値観は、あらゆる世代・階層の人たちに共有されていくべきである。今後、技術革新や市場メカニズムだけで気候危機は対処できるという、これまで支配的だった前世代の楽観的な思考は、妥当性をますます失っていくだろう。一方でグレタはじめ世界の若者たちの不安や恐怖は現実のものとなっていくはずだ。

だからこそ気候危機の時代の新しいシステム、新しいビジョンを左派やリベラルはいますぐにでも打ち出すべきだ。大胆に価値観を転換して新しいビジョンを打ち出し、多様な社会運動を盛り上げていく必要があるし、その主体をつくっていくような政治的なプロジェクトが求められている。そうしなければ社会的・政治的な可能性がますます狭まり、危機への恐怖が社会の保守化をもたらし、分断や排外主義、貧しい人の苦しみを「自己責任」と切り捨てる社会が強化されていってしまう。これが一番望ましくないシナリオである。

Z世代の感覚は、「いままで通りの生活を続けることで環境を破壊したり、誰かを犠牲にする社会を黙認することに加担したくない」「もっと公正で持続可能で、人びとが幸せに暮らせる社会にするためにアクションを起こしたい」というものだ。彼・彼女らは我慢しているというよりクリエイティブであり、肯定感にあふれている。

あと20年もすれば、ジェネレーション・レフトが社会のマジョリティになり、社会に影響を及ぼす世代へと入れ替わっていく。その意味では、いま我われが思っているような実現可能性、現実性とはまったくかけ離れた社会の転換が起こるチャンスは十分にある。むしろこれまでの高度経済成長を理念として植えつけられた世代の人たちの方が、価値観をアップデートしていく必要がある。いまの危機を解決できるのは、やはり先進国の現役世代であり、若者たちの要求に応えて、コミュニズムや脱成長、気候正義という考えを社会の軸に据えることは、十分可能なのだ。その責任は当然私たち大人世代にある。

自由貿易は人びとの健康・食・主権を守れない

――〈グローバル・コモン〉を統治する公正なルールを

内田聖子

行きすぎた自由貿易の帰結としてのパンデミック

人、モノ、サービス、マネーの国境を越える移動は、過去40年の間に加速してきた。工業製品であれ農産品であれ、そのサプライチェーンは、原材料費と土地代、人件費の安い場所を求めて張り巡らされ、企業は利益の最大化をはかってきた。私たちの身近な生活も、日常的に外国産の食品を買い、AmazonやNetflixなどのサービスを利用し、外資の金融・保険商品を購入し、さらに海外で研究開発された医薬品やワクチンを必要としている。

こうしたことを可能にしたのが、１９８０年代以降に推進された経済のグローバリゼーションだ。その主要な要素は、投資の自由化、資本移動の自由化、そして貿易の自由化である。自由貿易推進のために95年に設立された世界貿易機関（ＷＴＯ）は、先進国と途上国が激しく対立する中で２０００年代半ばから交渉や仲裁などの機能が停滞している。それ以降、個別の貿易協定・投資協定によってＷＴＯを上回るような自由化が強く推進されてきた。たとえば日本が２０１０年以降に結んだ協定は、環太平洋パートナーシップに関する包括的及び先進的な協定（通称TPP11、2018年）や、日EU経済連携協定（2019年）、そして日米貿易協定・日米デジタル貿易協定（2020年）などである。

自由貿易の原則は、世界を一つの市場とみなし、モノの関税や投資・サービスにかかる規制を撤廃することで貿易を拡大していくというものだ。言わば「大企業と投資家にとって有利な、グローバルな規制緩和の装置」である。同時に、自由貿易のルールは国家主権の余地を最小限にすることを求める。国内の保健医療や食の安全に関わる基準、税制、政府調達などの公共政策を策定するスペースは、「企業の活動を不必要に制限しない」範囲でしか許されない。

すでに世界の隅ずみに広がった自由貿易は、新型コロナウイルスの感染拡大と無関係ではない。たとえば、貿易自由化に伴い多くの国で工業型農業への転換や都市化が進められてきた。その結果、環境や生態系の破壊と同時に、スラムを含む過密都市が各地に生じた。野生生物の貿易（食用、違法なものを含む）の拡大で人と野生生物が接する機会が増えたこともコロナ感染の背景にある（第3章95ページ参照）。感染拡大の最大の要因である「人の移動」も、自由貿易推進の中で飛躍的に拡大してきた。たとえば観光は、「サービス貿易」の一つとして定義され、各国の貿易収支に計上される。ビジネスパーソンの往来時のビザ手続きや滞在期間も、多くは貿易協定にて定められる。

各国で起こった医療崩壊も、自由貿易と間接的に関わる。イタリアでは、2010年の欧州債務危機後の緊縮財政政策によって病院が削減・民営化された結果、コロナ禍で医療崩壊をもたらした。あるいは、1990年代以降、途上国・先進国の双方で、自治体が担う水道事業が民営化されてきた。これらの公共サービスは、貿易協定の中であらかじめ除外していない限り「自由化の対象」となる。

つまり、この40年の間、各国政府は多大な資金と政治コストをかけて自由貿易を推進してきたわけだが、

図１　世界の物品貿易の成長率とGDP成長率の比較（1990〜2020年）

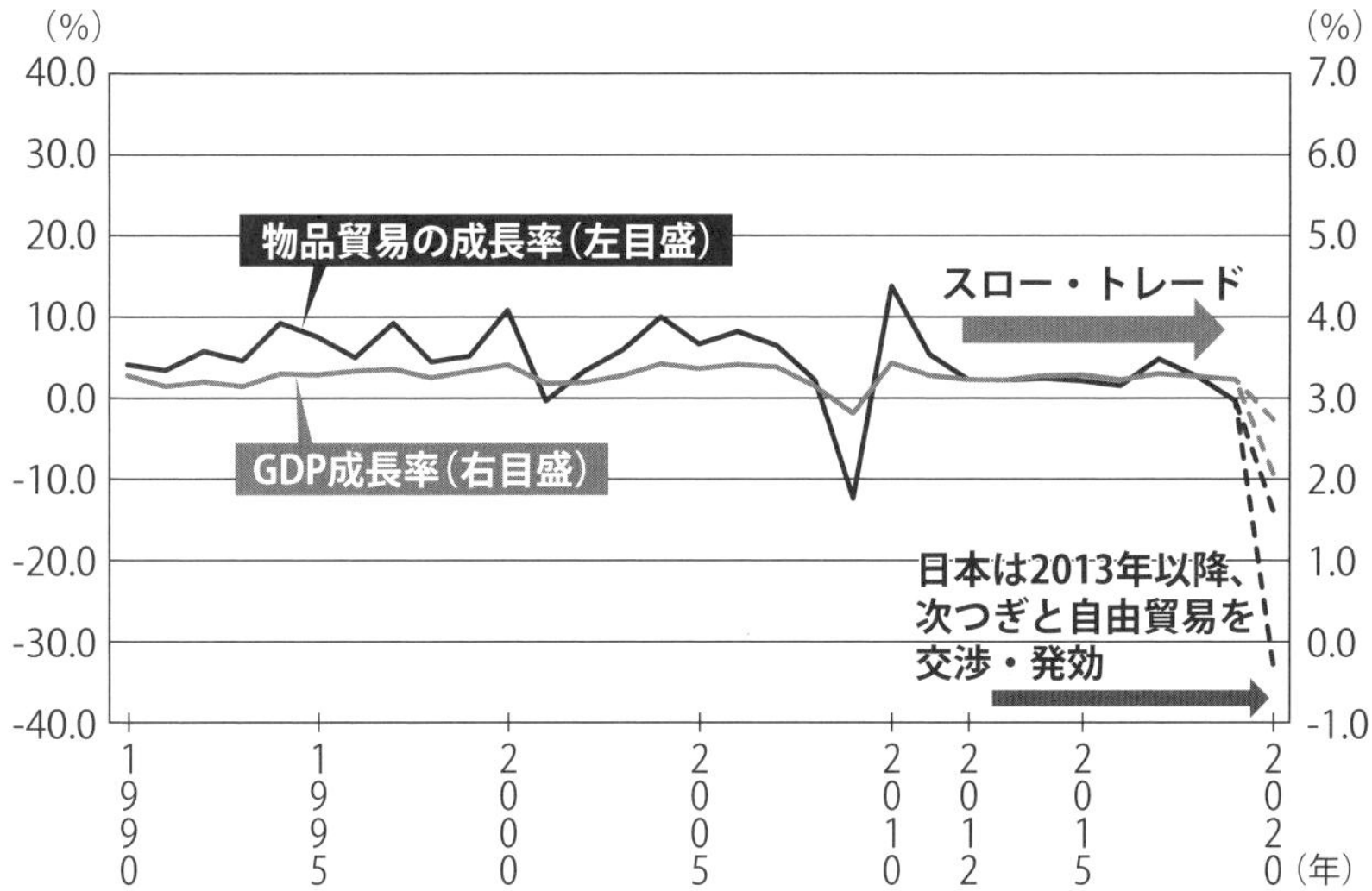

2008年までは物品貿易の成長率はGDP成長率を上回り、貿易拡大がGDP増加を牽引してきたが、2012年以降は逆転し、貿易拡大がGDP成長に寄与しない傾向が見られるようになった。コロナ禍でその傾向はさらに強まる。
（出典）WTO Secretariatを基に筆者作成
https://www.wto.org/english/news_e/pres20_e/pr855_e.htm

皮肉なことにそれはコロナ感染を拡大させる条件づくりにほかならなかったということだ。利潤追求のためのグローバリゼーションの果てに、私たちは大いなるしっぺ返しをされたようなものだ。

危機が明らかにした自由貿易の限界

一つ押さえておかなければならないのは、２００８年のリーマン・ショックを契機に、世界の貿易はすでに停滞傾向にあったということだ。12年以降、世界の物品貿易の成長率はＧＤＰ成長率を下回る、いわゆる「スロー・トレード」状態が続いてきた（図１）。これがコロナによってさらに激減することになる。貿易だけでなく、世界の海外直接投資（ＦＤＩ）も12年以降は下降傾向のままである。

「反グローバル化」「保護主義」とされてきたトランプ前大統領の貿易政策や米中対立、

英国のEU離脱も、コロナ前からの現象だ。米国、オーストラリア、EUでは、中国をターゲットにした外資規制やサプライチェーンを国内化する動きもドミノのように起こっていた。新自由主義的な市場原理主義から撤退し、国家がグローバル企業を規制しようとする傾向は、右派・左派ともに多くの国で見られていた。その理由は、1%の富裕層とグローバル企業のみが恩恵を受ける一方で、貧困・格差は拡大していることにある。自由貿易推進者たちが約束した、中間層・貧困層への富の再分配(トリクル・ダウン)は実現しなかったと歴史が証明した。世界では「グローバル化離れ」がすでに起こり、自由貿易の矛盾と限界も沸点に近い状態だったのだ。

こうした中で起こったコロナ・パンデミックは、「グローバル化離れ」の傾向をより強く方向づけた。たとえば、日本を含め多くの国が直面したマスクや人工呼吸器などの医療用品の不足を考えてみよう。世界のマスク製造・輸出シェアの43%は中国が占めている。日本のマスク自給率はわずか2割で、ほとんどを中国からの輸入に頼っていた。グローバルなサプライチェーンを「合理的」に構築していった結果、マスク一枚を奪い合うような事態が各国で生じた。

世界で最も多くの感染者を出した米国では、コロナ患者向けの体外式膜型人工肺(ECMO)が圧倒的に不足した。国内製造はまったく追いつかず、トランプ前大統領は、ゼネラルモーターズ(GM)やフォードなど自動車メーカーにも生産や部品の提供を命じ、国をあげての生産体制がとられた。行きすぎた国際分業体制がいかに脆弱か、また国境が存在する以上、必需品の多くを輸入に依存すれば、危機の際にはリスクが常に存在するということを、私たちは自分の生命に関わる問題として深く記憶に刻んだ。

もう一つは、食料の問題だ。パンデミックはグローバルなフード・システムの問題をさまざまな側面から鮮明に映し出した。

２０２０年3月以降、感染拡大とともに、自国の食料確保のために輸出規制をとる国が次つぎと現れた。たとえばロシアやウクライナ、セルビア、カザフスタンは小麦を、ベトナムやカンボジアは米を、というように6月時点でその数は世界20カ国以上となった。

ＷＴＯは、他国への輸出禁止・制限という措置を原則禁止している。しかし、「食糧その他の不可欠な産品の危機的な不足」や「食糧安全保障に及ぼす影響」「人、動物又は植物の生命又は健康の保護のため」などの特別な状況での緊急措置は例外として認めている。まさに今回のパンデミックは「健康や生命の危機」であり、輸出規制は一国の主権行使として認められるべきものだ。

ところが、輸出規制をした国ぐにに対し、ＷＴＯや世界銀行などの国際機関やＧ７はすぐさま「自由貿易のルールを守れ」と釘を刺した。グローバルに構築された食料のサプライチェーンは、どこかで目詰まりすればそこがボトルネックになり、連鎖的に他国へと波及してしまうからだ。だが、国内外のサプライチェーンを止めなかったために大惨事を引き起こした国が米国だった。

２０２０年4月、スミスフィールド・フーズ、タイソン・フーズ、ＪＢＳ、カーギルなど米国の大規模な食肉処理工場で爆発的なコロナ感染が起こった。日々、数百人単位の感染者が出ているにもかかわらず、国内外へ製品を流通・輸出することを優先した結果、工場の操業はしばらく止められなかった。労働者は低賃金で働く移民がほとんどだが、十分な防護具も与えられず、発熱などの症状があっても休むことが許されなかった。その結果、感染拡大は収まらず食肉処理工場は米国で刑務所に次ぐ第2位の大規模クラスター発生の場所となってしまったのである。

4月下旬にようやく一時操業停止となった途端、出荷先を失った牛や豚はただ殺され、搾乳しても行き場のない牛乳は廃棄され続けた。一方、生産・流通が止まったために多くのスーパーからは食肉が消え、争奪戦に近い状況が生まれた。

この一連の事態は、米国がつくり上げたグローバルなサプライチェーンの末端にいる日本の私たちとも無関係ではない。日本は米国から大量の食肉を輸入しており、2020年1月に発効した日米貿易協定によって牛肉・豚肉の関税が削減されたことで、輸入量は増加傾向だ。コロナ禍でも米国からの食肉輸入が途絶えることがなかった背景には、感染しても休めずに仕事を強いられた米国の労働者たちの存在があるのだ。

一方、途上国での食料事情もコロナ禍で悪化している。国連世界食糧計画(WFP)は、「コロナ感染拡大は急性栄養不良に苦しむ人びとの数をほぼ倍増させ、2020年末までに2億5000万人が被害にあう可能性がある」と指摘している。多くの途上国は、食料を輸入に依存しており、国際価格やサプライチェーンの停滞のしわ寄せを最も受けやすい。コロナ禍で国際物流と国内流通の両方が遅滞した結果、日常的な食料不足に輪をかけて食べ物が届かない状況が生まれた。アフリカの多くの国では、コロナ援助物資の配布に何百人もが長蛇の列をなして並び、届いた物資を奪い合う事態も多発した。

さらに、2020年後半から米国やEU、中国が大豆やトウモロコシなどを自国用に大量購入しているため、穀物の国際価格は高騰している。たとえばナイジェリアでは、長引く干ばつで穀物生産が減っているところにコロナ禍が襲い、さらに海外からの穀物価格も急騰したことで飼料が足りず、国内約1万7000戸あった養鶏農家の3割が廃業に追い込まれたという。途上国では、「コロナで死ぬか、さもなくば飢餓で死ぬか」という言葉がよく語られるが、直接的にコロナ感染で亡くなることよりも、グローバルな貿易体制の中で食料が手に入らないという深刻な危機が人びとを襲っているのだ。

国家によるコロナ対策への脅威――外国投資家の利益を守るためのＩＳＤＳ

もう一点、貿易・投資協定による国家主権・公共政策への脅威についてふれたい。世界各国はコロナ禍で自国の人びとの公衆衛生や経済活動を守るため、以下のようなさまざまな措置をとってきた。

・ロックダウンや移動の自由の制限
・医薬品、検査、ワクチンの手頃な価格を確保するための価格規制
・過重な負担のある医療制度を支援する財政の救済措置
・家賃の価格統制と住宅ローンの支払いの免除
・エネルギー料金の徴収停止
・家計や事業者向けの債務整理
・民間企業が運営する国道の料金徴収の停止
・民間病院の国有化、指定メーカーによる人工呼吸器の生産義務化などの要請

未曾有のパンデミックに際し、国家がこうした緊急措置をとるのは、国民・市民からすれば当然のことである。しかし、その国に進出している外国投資家や外国企業からすれば、これらの措置はビジネスを阻害し、「利益の逸失」をもたらす可能性がある。両者の原則と利害は真っ向から対立するが、外国投資家・企業はこの逸失利益を賠償させるため、貿易・投資協定に基づきその国を国際仲裁法廷に提訴する権利を有している。多くの貿易・投資協定に含まれる「投資家対国家紛争解決（ＩＳＤＳ）」という制度である。

ＩＳＤＳはコロナ以前からも、途上国政府や国際市民社会から厳しく批判されてきた。環境規制や水道

の再公営化、鉱山開発の停止など、その国の公共政策や環境・人種の観点からの規制の強化が、外国投資家から「利益を失った」と告発され、敗訴すれば数千億ドルという水準の賠償金を国家は支払わなければならない。主には途上国がそのターゲットとなってきたが、たとえばエクアドルは国家予算の実に3割に及ぶ額を企業への賠償金として支払うことになり、原資の税金収入も足りない中、貧困層への社会保障費が削減された。各国の主権や政策決定権よりも、外国投資家・企業の利益が上位に置かれるという構造的不平等に、多くの国が抵抗をしてきた。

このISDSが、コロナ禍で各国がとった措置に対して使われるという懸念がある。欧米のコンサルタント企業や国際弁護士らは、パンデミックの初期段階から、先にあげたような措置を投資先の国の政府がとった場合、投資家はISDSを使うことが可能だと繰り返し「指導」をしている。

深刻なのは、実際にISDSの脅威にさらされている国が出てきていることだ。2020年4月、ペルー議会はコロナ禍という緊急事態の間、国内の民間企業が運営する国道の通行料徴収を停止する法律を承認した。多くの国民が収入を失う可能性がある中、必要な物資輸送や労働者の移動を容易にするためだ。ところがこの運営企業に投資しているフランスやコロンビアなどの外資企業は、ペルーと交わしている投資協定に基づき、ISDSでの提訴をちらつかせて同法を撤回するよう働きかけた。

メキシコ政府は、感染が増加した2020年4月29日から5月15日までの間、再生可能エネルギー発電所の稼働開始時期の延期と、風力・太陽エネルギー施設の発電制限という二つの措置をとった。コロナ危機で経済が縮小する中、エネルギーに関する国家の権限を強化するためだった。これら施設には、スペイン、イタリア、フランス、カナダ、米国など多くの企業が投資しており、各国がメキシコと結ぶ貿易・投資協定にはISDSが含まれている。各企業とその背後にいる国際弁護士らは、メキシコ政府に提訴の可能性を示唆し圧力をかけた。

いずれのケースも正式な提訴には至っていないが、コロナ禍のような状況で、公衆衛生と経済の危機を避けるため、政府は積極的かつ迅速な措置をとらなければならない。しかし、外国投資家の利潤追求が、国家の権限より優先されかねない状況が現実に起こっているのだ。

自由貿易のルールを民主化する――危機はこれからもやってくる

ほかにも多くの問題点が今回のパンデミックで明らかにされたが、確実なことは、私たちは自由貿易をこれ以上続けてはならないということだ。すべての人びとの健康・食料・主権にとって、回復不能なほどの脅威となり続けるからである。

第二次世界大戦後に国際社会が模索してきた多国間協力体制の中で、貿易の本来の目的は、「すべての人の生活水準を高め、完全雇用と高度で着実に増加する実質所得および有効需要を確保することにある」（ＧＡＴＴ前文）とされた。しかし自由貿易が拡大しても、この目的は達成されていない。

その上に起こったコロナ禍を機に、貿易のあり方そのものを変革しなければならない。その際、次の三つの観点が特に重要だ。

まず、これからは企業の独占的な利潤追求の論理よりもセキュリティ（生命保障や生活防衛）の論理を優先しなければならない。２０２０年10月、南アフリカとインドは、コロナ関連医薬品に関する特許を一時的に免除するよう、国際社会に訴えかけた（第２章62ページ参照）。特許で過度に保護され高額となった医薬品は、貧しい国には届かない。コロナ禍で明らかになったのは、先進国がワクチン争奪戦を繰り広げる中、

図2　次つぎと迫りくる危機の波

©Graeme MacKay

その背後には何年先にワクチンが届くかも分からない多数の途上国が存在するという事実だ。自由貿易の論理では、「特許があるから仕方ない」となるが、それでは世界全体でパンデミックを抑え込むことはできない。

途上国へのワクチンや医療用品のアクセスを求める国際キャンペーンは、「No one is safe until everyone is safe（みんなが安全になるまでは、誰もが安全ではない）」を合言葉にしているが、実はこれが近道であり正解なのだ。この原則を中心に据え、貿易協定における知的財産権分野の根本的な見直しが必要である。

二番目は、これからの貿易は、気候危機や生物多様性の崩壊に最大限対応していくものでなければならない。なぜなら、コロナ危機の後にも、経済不況、気候危機、そして生物多様性の崩壊など、より大きな危機が避けられないからだ（図２）。モノ、カネ、人、投資の移動の最大化を目指す自由貿易のルールとメカニズムは、これらの危機には耐えられないどころか、危機を早める役割を果たしてしまう。

この点は、食料の生産・流通・消費にも関係する。コロナを契機に世界の有機農業は耕地面積・消費量ともに急増している。生態系に害を与えない、持続可能な小規模家族農業の価値も改めて見直されている。貿易はこうした動きを阻害するものであってはならない。

フランス政府は２０２０年９月、コロナ禍からの経済復興策として総額１０００億ユーロ（以下１ユーロ＝約１２０～１３０円）をあてて持続可能な経済への移行を促す環境政策を打ち出した。その一環として、「植物性タンパク質生産拡大国家戦略」を発表した。フランスの食料自給率は１２７％（カロリーベース）だが、大豆やナタネの半分は輸入に頼る。同戦略は、今後３年間で大豆（特に畜産飼料用）などの作付面積を40％増加させることを目指す。

実はこの転換の背景には、もう一つ理由がある。フランスはブラジルから大量の大豆を購入しているが、ブラジルでは大豆生産のために森林破壊が進んでいる。マクロン大統領は「フランスはブラジルの森林破壊に一部責任がある」との認識を示しており、このことが大豆の国内生産拡大に踏み切った要因の一つとされる。要は環境破壊に加担するような貿易はしない、ということだ。

多くの国でこうした転換がなされれば、貿易量は減少し気候危機対策となると同時に、国内産業も育成できる。日本もブラジルから大量の大豆を輸入し、かつ自給率はフランスより圧倒的に低いにもかかわらず、このような方針転換は見られないばかりか、「輸出の増大」が強く推進されている。

環境と同様、現在の自由貿易協定には人権、労働に関する国際条約などを遵守させる拘束力がほとんどなく、努力目標が掲げられているにすぎない。今後は、労働者の権利を守っていない国とは貿易協定を締結しないというように、経済よりも社会的規制を重視する強制力のある条項を取り入れる必要がある。

三番目は、貿易協定の中で縮小されてきた国家の主権を取り戻していくことだ。物品の関税が中心だった時代から、１９９０年代以降は「貿易」が対象とする範囲が劇的に広がり、いまや知的財産権や投資、サービス、補助金、国有企業、そしてデジタル・ルールへと拡大してきた。これによって各国の国内法や規制の力は縛られてきた。この力関係を反転させ、各国の公共政策スペースを広げていく必要がある。

ポジティブな流れとしては、コロナ前から世界各国で、主権を侵害するＩＳＤＳを貿易・投資協定から取り除こうとする動きが劇的に進んでいることだ。途上国だけでなくＥＵも米国も、それぞれ主張の背景や対案に課題はあるものの、現状のＩＳＤＳには明確に反対しており、この傾向は今後世界でますます強まっていくだろう。

パンデミックを経験した国際社会は、公衆衛生や気候危機対策、あるいは国際的な税制などのグローバル・コモン（公共財）と、それを適切に統治する仕組みとルールを喫緊に必要としている。ＧＡＦＡ（Google, Apple, Facebook, Amazonの4つの巨大ＩＴ企業の略称）規制や、タックス・ヘイブンの規制、大企業への国際的な課税システムなども、大きくはこの流れの一環と見るべきだ。

残念ながらコロナ前からの脱グローバル化の波に対しても、コロナ後の自由貿易の根本的な見直しに対しても、日本は真逆の方向へと進んでいる。自由貿易を一貫して推進し、知的財産権の強化や公共サービスの民営化、規制緩和を進めている。ＩＳＤＳについても「投資家にとって必要なツール」と主張し、すべての協定に盛り込もうとしている。この厳しい現実を受け止め、私たちは日本の貿易政策を大きく変えるような努力をしなければならない。

環境と生態系の回復へ
──次なるパンデミックの前に

井田徹治

熱帯林の破壊とブッシュミート危機

新型コロナウイルスのような感染症が、なぜ増えているのだろうか。その背景の一つに「動物由来感染症（ズーノーシス）」の増加がある。これは動物から人間にうつる病気のことであり、アフリカを中心に流行し、多くの死者を出したエボラ出血熱をはじめ重症急性呼吸器症候群（ＳＡＲＳ）、中東呼吸器症候群（ＭＥＲＳ）、新型インフルエンザ、そして新型コロナウイルスなど、すべて動物由来感染症だ。世界保健機関（ＷＨＯ）が把握しているだけでも、動物由来感染症は約２００種類あり、人間の感染症の7割は動物由来とも言われ、しかも近年増加傾向にある。

動物由来感染症が次つぎと増えている原因は、人間が引き起こしたさまざまな環境破壊の結果、野生生物と人間の接触の機会が非常に増えていることがあげられる。

大きな原因の一つは、世界中で進む熱帯林の破壊だ。アフリカや東南アジア、南米のアマゾン地域では熱帯林の開発によって木材の伐採や地下資源の採掘が盛んに行われている。このような熱帯林開発によっていままでほとんど人が入っていなかったような森の中に巨大な伐採道路ができる。その先に巨大なキャンプが造られ、何百人という労働者が送り込まれる。しかし彼らのための給食システムはないため、森の野生動物を捕まえて日常のタンパク源をとるしかない。これは「ブッシュミート（野生動物から得る食肉のこと）」と呼ばれ、近年、熱帯林地域を中心に急拡大している。

熱帯林の破壊とブッシュミート・ハンティングが手を携えて進められる中で、人間と野生生物の接触の機会が増えているのである。動物由来感染症という観点からも、また生態系の保全の観点からも、このような動きは「ブッシュミート・クライシス（危機）」と呼ばれ、国際的に生物多様性保全上の大きな問題となっている。

もう一つは、野生生物の取引の拡大だ。ブッシュミートが労働者の食料となるだけでなく、多くの野生生物が、現金収入の手段として生体や肉、パーツとして都市部や海外に売られている。また、日本でも「エキゾチックペット」というような形で人気になってしまっているが、生きた野生生物がペットとして大量に売られるようになってきている。これによっても人間と野生生物との接触の機会が増加している。

もともと動物由来感染症のウイルスなどは、コウモリなどの宿主の体内に存在し、それなりに共生して生きていたのだが、その生活空間に人間が入り込むことによって人間に感染力を持つようになった。

私は２０１３年にアフリカのコンゴ共和国北部の伐採キャンプ近くの村のブッシュミート市場を取材した。熱帯林の真ん中にブッシュミート市場があり、そこではあらゆる種類の動物を女性が包丁で切り分け、その肉を子どもが運んでいた。大量の生肉や燻製が商品として売られていき、最終的には人間の口に収まる。熱帯林の伐採道路ができたことでこうした市場が出現してしまったわけだが、これはかつて先住民族が森の中に入って行っていた狩猟とは明らかに違うものだ。

図1　世界の人口の推計と予測

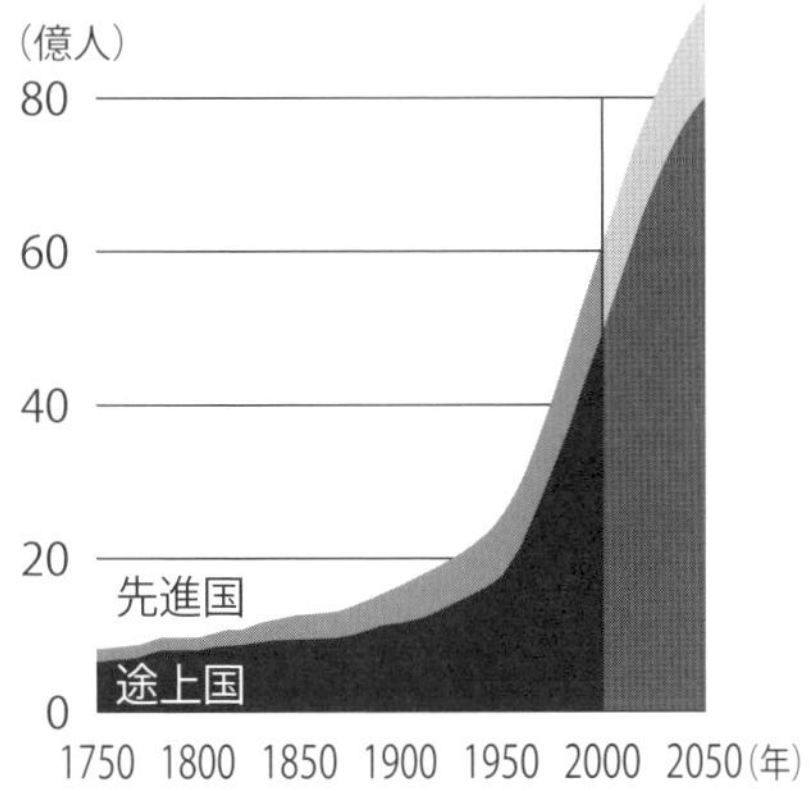

(出典)「人口の変化」 国連環境計画(UNEP)/GRID
https://www.grida.no/resources/6818

図2　世界の家畜数の推移

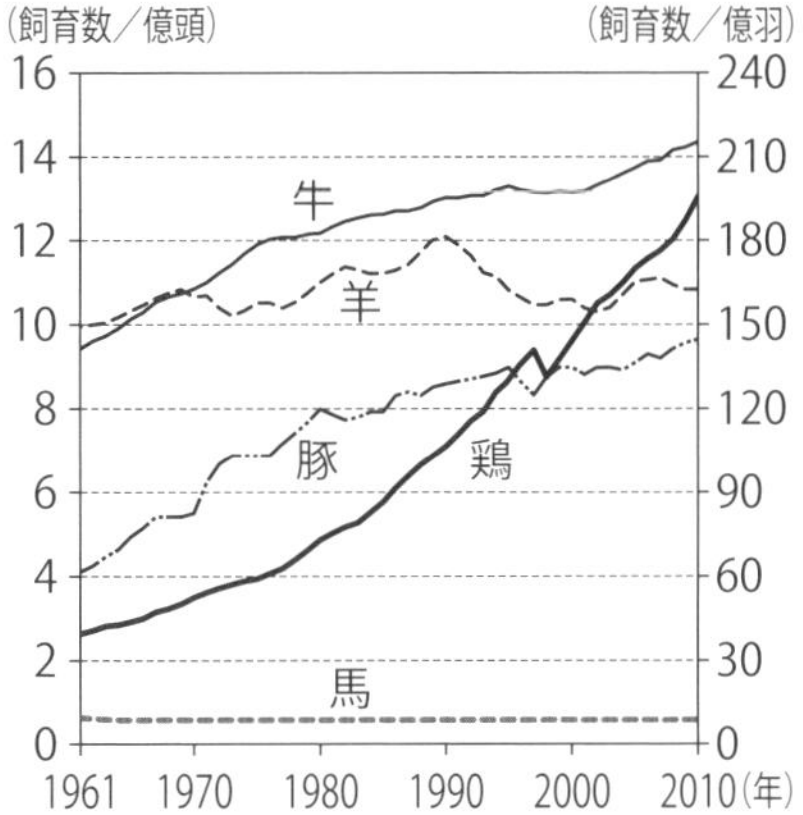

(出典) 国連食糧農業機関(FAO) のデータなどを基に筆者作成

これを見てもはっきり分かるように、人間と野生生物の接触の機会が増えている。これだけ大量の野生動物の肉や血を触るようなことを毎日のようにしていれば、動物はいなくなるし、動物からうつる感染症が拡大するのは当然であると思った。

増加する人間・家畜の数と気候変動

もう一つ、動物由来感染症の増加の要因として研究者が指摘するのが、人間と家畜の数の増加だ。グローバル化が進み、途上国も豊かになり人口は急増している。これに伴い、この50年で人間の数だけでなく牛、鶏、豚など家畜の数もそれ以上のペースで増えていることが分かる（図1、2）。

2018年に発表された研究によると、地球上の哺乳類の生物量（バイオマス）は、家畜が全体の約60％を占める。その次が人間の36％だ。野生生物が占める割合はわずか4％でしかない。家畜や人間というのは種の構成が単純だ。たとえば人間はホモサピエンスという1種類だけである。

もともとウイルスや寄生虫、細菌は、特定の生物が増えすぎたときに、その中の抵抗力や適応力のない個体に感染し、時には殺すことで生物種の個体数を調節して、生態系のバランスを保つ役割を担ってきたと言われる。ところが急激に種の多様性が低い家畜や人間が増えたため、ウイルスはそこを格好の「えさ場」としながら、感染症を大爆発させることになったのである。

もう一つ、人間が引き起こした地球温暖化が招く気候危機も、感染症拡大の危機と深く関連している。地球上で一番危険な動物と言われているのは何かご存知だろうか？　それはライオンでもサメでもなく蚊である。蚊によって媒介されるマラリアやデング熱、日本脳炎、西ナイル熱などの感染症で、世界では年間約83万人が命を落としている。ちなみに、蚊の次に危険な動物は人間で、殺人によって世界で年間約58万人が亡くなっているそうだ。気候変動によって世界中が暖かくなり、本来、熱帯地域にいて感染症を媒介していた蚊の分布域が広がっている。２０１４年に日本でデング熱が定着して大騒ぎになったのは記憶に新しいだろう。

さらに、温暖化が進むことによって新型コロナウイルスの自然の宿主だと言われるコウモリのような哺乳類の分布域も広がることが指摘されている。コウモリは飛ぶので行動範囲が広く、地球が暖かくなると熱帯にいるようなコウモリが別の地域にも広がる。これも気候変動によって感染症が増える原因となるとされている。

グローバル化と社会構造の変化

なぜこれほどまでに動物由来感染症を含めた感染症の被害が拡大するのだろうか。まず、グローバル化によって人とモノの行き来が急拡大していることがあげられる。たとえばエボラ出血熱であれば、以前はコンゴ民主共和国だけで感染が抑えられていたが、いまは人の移動に伴い国境を越えて広がっている。

また私が注目すべきだと思うのは、この数十年の人口増加によって社会構造が大きく変わってきた点だ。現在、途上国では気候変動の影響もあって農村が衰退している。雨の降り方も予測できなくなったため農業で生計を立てられなくなり、人びとは仕事を求めて都市へ移動する。その結果、都市には貧しい人びとが住む都市スラムが出現した。多くの国で人口の半分以上が都市に流出し、非常に不衛生な水を飲み、不健康な食事をとって密集して暮らすようになった。有害な排気ガスを出す車も増え、大気汚染もひどくなっている。こうしたことも感染症の犠牲者が増える背景の一つである。

米国に次いで感染者の多いブラジルでは、サンパウロやリオデジャネイロなどの大都市に貧しい人たちの住むファベーラと言われる場所があり、そこでコロナの犠牲者が激増している。アフリカでは感染症を比較的、うまく抑え込んでいるが、例外として、南アフリカ最大の都市ヨハネスブルグのような大都市で増えているのが特徴だ。

世界最大の感染者数を記録している米国でも、犠牲になっているのは都市部の貧困層だ。ニューヨークで最も貧困層が多いと言われるブロンクス地区では、100万人あたりの感染者数が、最も豊かなマンハッタン地区の2倍以上だった。

今回、米国で最も大きな被害を出したセクターの一つに食肉産業がある。これは巨大な産業で、政治的にも非常に強い力を持っているが、現場では徹底的に効率を優先した食肉処理が行われている。流れ作業で鶏の首を切り解体していくラインには、びっしりと労働者が並び、ものすごいスピードで鶏が運ばれてくる。最も速いラインでは、1分間に175羽の鶏を処理しなければならないケースもあったという。広大な米国の中で主な牛肉の食肉処理場は50カ所しかない。ここで、国内生産量の98％もの食肉が処理されている。このようにして効率を最重要視して生産された安い鶏肉、豚肉、牛肉を世界中に供給するというのが米国を起源とする食肉のサプライチェーンの実態だ。

米国ではこのような工場で働く人のほとんどが不法移民を含む低賃金労働者で、劣悪な環境に置かれている。ラインを止めることができないため、咳が出ても手で口を覆うこともできないし、トイレに行くのも許可を得なければならない。中には、新型コロナウイルスに感染し、症状も出ていたのにもかかわらず、雇い主から「仕事に出て来い」と言われて工場に出勤し続けた結果、亡くなってしまったケースさえある。このような環境の中で食肉処理工場が米国最大の犠牲者を出した産業の一つになってしまったのである。

元の世界に戻っていいのか——次なるパンデミックに備えるために

では、私たちは今後何をしなければならないのか。「コロナからの復興」が言われる中、まず最初に考えなければならないことは、我われは「元あった世界に戻っていいのか」ということだ。そのときの元の世界とは、どのような世界なのかを考えてみる必要がある。

いままで、人間は化石燃料に依存して気候危機と大気汚染を悪化させてきた。我われは生態系を破壊し、森を破壊しながら便利な暮らし、豊かな暮らしを追求してきたが、そのことが動物由来感染症の危機を引き起こす結果につながっていった。都市に人が集まり、家畜が増えていること自体が、ウイルスに格好のえさ場を提供することになった。どう考えても元の世界に戻っていいはずはない。では、どうすればいいのか。

国連開発計画（UNDP）のアヒム・シュタイナー総裁は、次のように指摘している。

「そのうち社会や経済は動き始めるだろう。危険なのは、それが『元に戻る』ことだ。『元』とは、気候危機に陥った世界であり、不平等が蔓延し、経済全体が不安定な石油価格に縛られ、毎年700万人が大気汚染で命を落としている状態であるからだ。各国政府は、このパンデミックからの社会的、経済的復興に税金をどう投入するかを決める際、大きな選択を迫られる。いまこそ、物事を正すための一世一代のチャンスだ」と。

この中でキーワードになるのが「グリーン・リカバリー（緑の復興）」である。コロナ禍からの復興の際に、気候危機対策や環境保全への投資を拡大し、持続可能なものに世界をつくり替えるという主旨だ。欧米での議論では、「Build Back Better（BBB）＝より良く復興する」という言い方もよく登場する。2020年の後半、日本では「GoToキャンペーン」ばかりが報じられ、こうした議論がほとんど出てこなかったのだが、海外ではこうした方向性が政策としてすでに提起され、動き出している。

一番注目されたのは、2020年4月の欧州連合（EU）の動きだ。コロナ禍以前から欧州には「欧州グリーン・ディール」と呼ばれる持続可能な経済へ向けたプログラムがあったのだが、それをコロナからの経済復興の中心とするべきだとの大臣声明が出され、ここにフランス、ドイツ、イタリアなど約20カ国の大臣が署名した。フォン・デア・ライエン欧州委員会委員長は、「欧州中期予算の中心にグリーン・リカバリー政策を据えて、最初にやるべきは2050年に温室効果ガスを実質ゼロにすることを目指した成長戦略をつくることだ」と指摘している。

欧州各国もコロナ禍の中で、さまざまなプランや経済復興策を検討している。

主には気候危機対策であるが、たとえばフランス政府は、エールフランスへの70億ユーロの融資の条件として、２０２４年までに高速鉄道（ＴＧＶ）と競合する近距離路線を廃止することや、国内線の炭素排出量半減、燃料の2％を再生可能燃料にすることなどをあげている。

オーストリア政府もオーストリア航空支援にあたり排出削減目標強化を求めた。カナダ政府も、企業に対して「政府の支援を受ける以上は排出量やコストなどの情報開示をすること」を支援条件にしている。ドイツ政府は、「未来のためのパッケージ（Package for the Future）」としてグリーン投資の拡大を進めている。

欧州では民間の動きも注目されている。欧州議会のイニシアティブで「緑の復興のための欧州同盟（European alliance for a Green Recovery）」が２０２０年4月に結成され、グリーンな復興支援パッケージの確立と実施を目指し、企業に参加を呼びかけた。ここにはＩＫＥＡやＨ＆Ｍ、ユニリーバなどのＣＥＯが署名、機関投資家も参加している。また、気候危機対策に熱心な機関投資家たちが5月、「投資家の課題（The Investor Agenda）」という声明を出した。この機関投資家の規模は、１２００団体３５００兆円という非常に大きなものだが、こうした人たちが政府に対し新型コロナ経済復興では気候危機の緩和を考慮するよう要請した。このように、政治家や企業を通じたグリーン・リカバリーも動き出したというのが欧州の状況だ。

こうした動きは注目すべき良い流れであるが、しかし気をつけなければならない点がある。グリーン・リカバリー政策が動き出したといっても道半ばであり、「元に戻ろう」という政治家や企業の勢力も非常に強いということだ。元の世界に戻そうという「慣性」は非常に強く、その動きを軽く見ることはできない。

たとえば、２０２０年7月に気候行動ネットワーク（Climate Action Network）が発表したデータによれば、Ｇ20諸国だけで１５００億ドルが化石燃料産業支援に回るということが分かった。省エネや風力など

図３　緑の対策指標と財政対策の規模

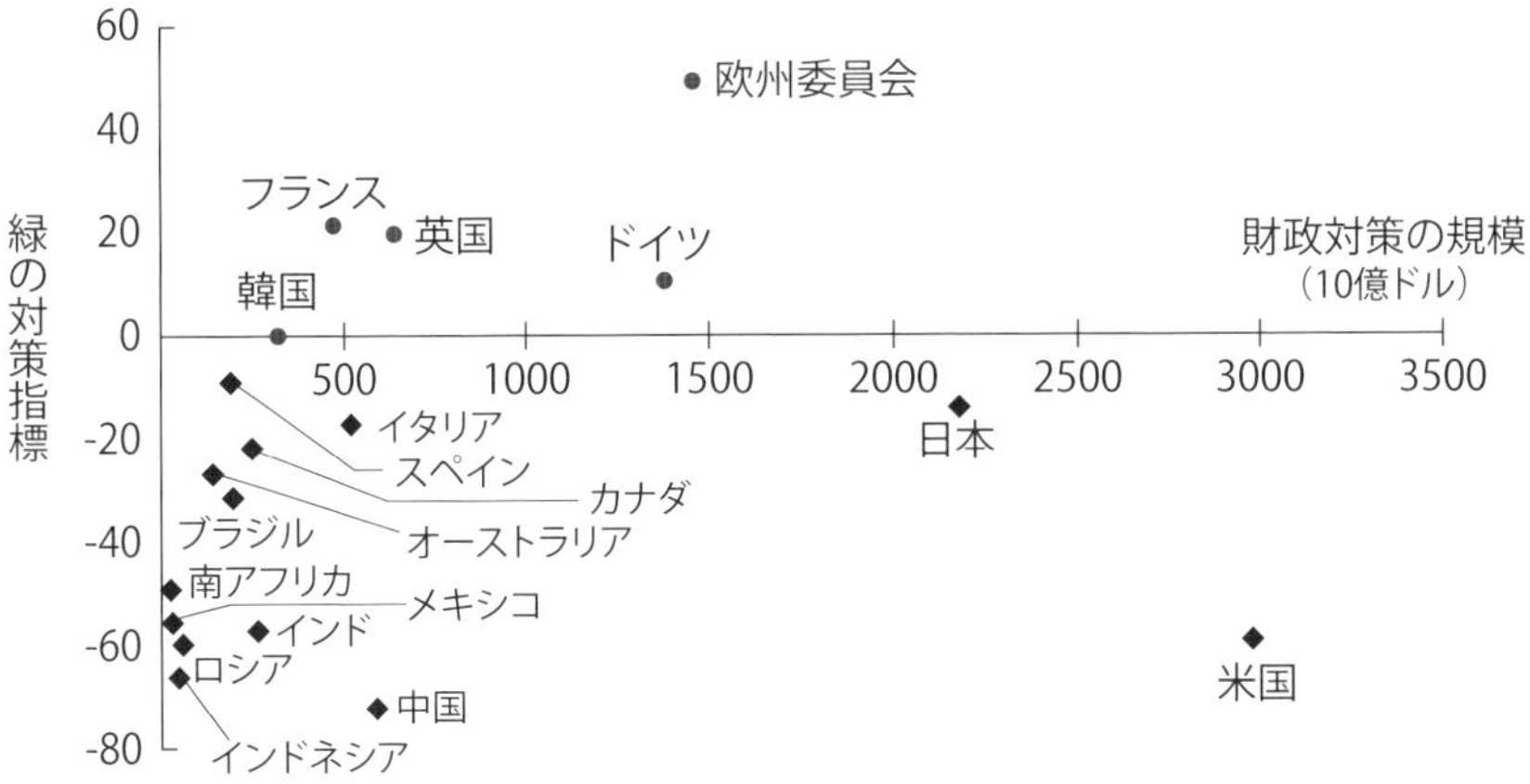

（出典）ビビッド・エコノミクス「緑の対策指標と財政対策の規模」

のクリーンエネルギーには８９０億ドルだけで、圧倒的に化石燃料支援に手厚いことが判明している。

また、英国政府が資金を拠出しているビビッド・エコノミクス（Vivid Economics）というシンクタンクは、「緑の対策指標（Green Stimulus Index）」という独自の指標を用いて、各国の政策評価を行っている。これによれば、グリーン・リカバリーが注目され、多くの資金が流れているように見えても、実際に環境関連の投資に向かう資金は全体の30％にとどまっている。２０２１年3月に国連環境計画などが発表した報告書によると、その後、全体の規模が拡大したこともあってこの比率は18％と低くなっている。日本の比率は12％と世界平均よりも低く「機会を逸してる国」に分類されている。08年のリーマン・ショック後の環境投資は15％だったとされるので、これに比べれば改善はしている。しかし各国の政策がグリーン・リカバリーで一貫しているわけではなく、いいものと悪いものが混在しているのが実情だ。

グリーン・リカバリーへの資金が少ない日本

こうした中で、日本ではグリーン・リカバリー政策についてほとんど議論されておらず、課題が大きい。コロナ後の復興投資については、金額は米国に次ぐ世界2位であるが、いわゆる「真水（経済対策のうち、実際に経済生産を押し上げる効果のある予算）」は少ない上に、グリーン・リカバリーへの投資は非常に少なく、再生可能エネルギーへの投資がごくわずかある程度だ。

先述の「緑の対策指標」で見ると、図3のようになる。ゼロより下がネガティブなものへの投資であり、上がポジティブなものへの投資である。欧州委員会はポジティブなものへの投資が圧倒的に多く、韓国はほぼ半々である。日本はと言えば、投資額の規模は大きいが、ポジティブなものへの投資よりも、ネガティブなものへの投資の方が多くなっている。

グリーン・リカバリーの中の重要な要素は、炭素税の導入だが、日本ではその議論もほとんどない。逆に「ＧｏＴｏトラベルキャンペーン」などに資金を使っているわけだ。航空燃料の減税なども検討されている。しかもさらに大きな問題は、これらの財源が赤字国債であり、このままでは次世代に財政的な負債と環境負債という二重の負債を残すことになるということだ。このような復興が進んでいるということが、日本の最大の問題である。

日本での転換の可能性はどこに？

日本そしてどの国でも必要な、あるべきグリーン・リカバリーの要素とは何か。

まずは「集中から分散へ」だ。エネルギー、人口、消費、ごみ処理など、多くの分野でも集中から分散型の社会システムが求められている。

二番目は、「効率からレジリエンス（強靭さ）へ」である。米国の食肉産業がいい例だが、効率ばかり考えるのではなく、協調性や強靭さを重視する方向性だ。特に、食料生産や農の世界でその転換が必要だ。

三番目は、言い古された言葉ではあるが「持続可能性」であり、自然と共生する社会だ。新型コロナウイルス蔓延の背景には自然破壊がある。これに関する新たなビジョンの一つに、家畜も健康、野生生物も健康、人間も健康という、三つのすべての健康を実現する「ワン・ヘルス（一つの健康）」というものがある。これを実現させるような投資を行っていかなければならない。そうすることで感染症のリスクも軽減できるし、環境保全も進む。人間に感染する可能性があるとして、鳥インフルエンザが発生するたびに大量のニワトリが殺処分される、という事態も少なくなるはずだ。

持続可能な社会や、自然と人が共生する社会の実現への大転換は、国だけに任せていても進まない。私は、この転換の主体は、地方自治体やＮＧＯ、協同組合などの「非国家主体」だと考えている。これらの動きを活発にして、地方を中心としたボトムアップのグリーン・リカバリーを議論し、実現していくことが急務である。

ミュニシパリズム(地域自治主義)がひらく世界
――公共と自治を取り戻す

岸本聡子

バルセロナから始まった参加型民主主義の実践

新型コロナウイルスが欧州各国に拡大する中、それ以前からの課題に加えて、私たちは大きな危機に直面している。すなわち、「民主主義の危機」「気候の危機」「経済の危機」、そして「健康の危機」である。

これらを克服するための新たな政治の一つの実践が、「ミュニシパリズム(地域自治主義)」だ。ミュニシパリズムとは、「自治体」を意味するミュニシパリティ(Municipality)から生まれた言葉で、地域、自治体からの主体的な民主主義を実践する考え方だ。利潤と市場の法則よりも市民の生活を優先し、人権や社会正義を実現するために政治課題の優先順位を決めていく。新自由主義から脱却し、公益や公共財(コモンズ)を価値の中心に置く新しい社会像と言ってもいい。ミュニシパリズムには一つの定義や理論があるわけではなく、現在進行形の運動として、自治体や地方議員、市民運動が試行錯誤しながらヨーロッパそして世界各地へと広がっている。

ミュニシパリズムの運動や政治は、コロナ禍の中でどのように動き、またどのようにポスト・コロナ社会を構想しているのだろうか。

まず、ミュニシパリズムが生まれた経緯を簡単に振り返ってみよう。代表的な事例はスペインだ。

2008年の世界金融危機の影響で、スペインでは貧困や格差がこれまで以上に深刻化し、特に「住まいの貧困」が顕著に表れていた。住宅ローンが支払えない人が増え、バルセロナなどの大都市では、アパートの家主が、住民を追い出して観光客向けの施設や民泊に転換するという動きも多発していた。経済危機後の厳しい緊縮財政はもとより、グローバル化の流れの中で、電気や水道も多くが民営化された。

このように人びとの暮らしから遠くなった市政に対し、住宅の権利運動の活動家や、エネルギー主権を取り戻そうとする市民運動、「水は命連合」という若者グループなどが合流し、「バルセロナ・コモンズ」という名の市民プラットフォームを組織した。

ミュニシパリズムの核心かつ最大の取り組みは、地方政治・選挙のあり方を根本から変えていくことだ。バルセロナ・コモンズは、市民たち自身が参加して独自の候補者リストを作った。このような市民プラットフォームには、革新政党が加わることもあるが、あくまで市民による参加型選挙を目指していて、これまでの政党選挙とは根本的に異なる。

2015年の市議会選挙で、バルセロナ・コモンズは11人の候補者を当選させ、みごと第1党の座を獲得した。同党の選挙名簿の筆頭(市長候補)であったアーダ・コラウが、市長の座に就いた。彼女は住宅ローンを支払えず家を追い出された人たちの支援活動を長年行ってきた。市民参加型の初めての選挙で、40代の女性の活動家が市長になるという、まさに画期的な選挙結果であった。4年後の19年市議会選挙でも、カタロニア独立党と同数の議席を獲得し、現在2期目となっている。

パンデミック下でのバルセロナ市政

ミュニシパリズムの政治の原則は、「近隣の政治と日常生活の政治」だ。たとえばカジノやオリンピックなどへの大型投資を行う政治は、日常生活の政治からかけ離れているという意味でミュニシパリズムの対極にある。住民の暮らしや仕事、地域の環境に関する政治課題を、住民が直接、さまざまな組織を巻き込みながら、小さなレベルで話し合いをしていく。これが近隣の政治・日常生活の政治が意味するところだ。自治の歴史と連帯経済の土壌が深いバルセロナでは、もともとこうした政治文化が育まれていたことも強みだろう。

２０１５年にアーダ・コラウが市長になった後、バルセロナ・コモンズ市政は多くの政策を実現してきた。

たとえば、大手不動産に対して、「2年以上空き家になっている家を1カ月以内に人に貸さなければ、市場価格の50％の額で市が収用する」という通達を出し、そのための条例も作った。空き家を投機対象にすることを規制し、市民の住まいにさせるための措置だ。２０２０年1月には、市はディーゼル等の環境を汚す燃料を使う車の乗り入れを段階的に規制した。

公権力を使った空き家の収用も、ディーゼル車の規制も、現在の資本主義や市場経済のもとではタブーとも言える措置である。企業や資本家からは反発され、国や欧州連合の政策とも矛盾する場合もある。しかし、それを勇敢に実行するのがミュニシパリズムの政治の最大の特徴でもある。ミュニシパリズムを実践する自治体を「恐れぬ自治体（Fearless Cities）」と表現することがあるが、何を「恐れない」のかと言

2015年、参加型選挙で勝利した市民政党バルセロナ・コモンズによる「生活の政治」が実現。写真中央はアーダ・コラウ市長
©Ajuntament Barcelona

えば、国家や欧州連合という権力、大企業、そして大手メディアなどのことだ。それらと対峙しても、住民にとって一番大切な住居や水・電気、そして社会的権利を守るという意志が、ミュニシパリズムの出発点だ。

新型コロナウイルスの感染拡大によって、住宅、公衆衛生、メンタルヘルス、食べ物、ケアワーク、水、交通、健康、教育の大切さ、そしてそれらを提供するエッセンシャル・ワーカーがいるからこそ、社会は成り立っているという現実が、否応なく明らかになった。まさに、ミュニシパリズムが目指す日常生活の政治が可視化されたのだ。

一方、スペイン全体は感染者数も多く、最も厳しいロックダウンがなされた国の一つだった。バルセロナでも、住民が一切外出できない時期が長く続き、集会も制限されるなど、近隣の政治にも大きな影響を与えた。バルセロナ・コモンズは、市議も市長も２週間に１度、近隣のコミュニティの会議に出席し、議論に参加してきたが、コロナ禍ではそれもできなくなった。

しかし、そんな中にあっても、バルセロナ市政は、コロナ禍を生きる住民のために新しい政策を次つぎと実行している。たとえば、移民の女性やシングルマザーなど経済基盤が弱い人に対して、子どもを朝8時から夜8時まで預かるケアサービスを提供した。3歳から12歳までの子どもが対象で、全額無料だ。そのための職員も市の責任のもとでトレーニングを受けた人を完全雇用する。また、自治体が運営する歯科医院や葬儀サービス会社も設立した。低所得者にとっては、歯の治療費も葬儀代も負担が大きいためだ。

さらに、コロナ対応として人と人の間に社会的距離がとれるように車道を狭め、歩道を拡張することにした。これは気候危機対策でもあり、車から人・自転車が中心の都市空間への転換を目指している。

アーダ・コラウ市長は、コロナ禍で自治体が果たすべき役割は、「一番脆弱な人びとを守ること。貧困者だけでなく、医療・介護、食料供給に従事する労働者を守ることだ」とした上で、次のように言っている。

「2008年の経済危機でとられた対策（緊縮財政による公共サービスや投資の削減）とはまったく反対の対応をしなくてはいけない。公共サービスに投資をする経済をつくらなければならない。また、パンデミック後も気候・経済・健康の危機は同時に起こっている。だから復興にあたっては、グローバルな問題に対処していく必要がある。元に戻るのではなく、都市空間を自転車や歩行者に開放し、安全と健康を公共空間の中心に据えることができる機会である」

フランス地方選挙の大勝利

ミュニシパリズムの政治は、各国にもダイナミックな形で広がり続けている。とりわけ2020年6月

28日、コロナ禍の最中に行われたフランス地方選挙は、驚くべき結果となった。マルセイユ、リヨン、ストラスブール、ナント、ボルドーをはじめ多くの都市で、緑の党などの革新的な連合が勝利し、8都市で緑の党の市長が誕生した。パリをはじめ5つの大都市で女性が市長となった。

フランスはじめ各国のメディアは、これを「グリーン・ウェーブ（緑の波）」と評したが、実はそれ以上の意味がある。多くの自治体で緑の党は単独で戦ったのではなく、社会党や他の左派政党と連合を組んだ。たとえばパリ市長は社会党だが、彼女の主要政策の一つは気候危機への対応だ。つまり緑の党と社会党、共産党などを含めた「緑と赤の左派連合」の勝利というのが正しい見方だ。

マクロン大統領の率いる共和党・前進も地方選で多くの候補者を立てたが、10都市すべてで敗北した。またここ数年、国政で躍進するマリー・ルペン率いる国民連合は、1400あった議席が600になるというように、極右勢力も地方政治から大きく後退した。

最も重要なのは、今回の地方選挙は、まさにミュニシパリズムの政治の大躍進であったことだ。バルセロナ・コモンズと同じように候補者を市民参加型で選ぶ「市民コレクティブ」という名の市民プラットフォームが全国で410もつくられ、多くの候補者を擁立した。

フランスでは2017年ごろから、スペインでの実践に学び、市民団体と左派政党、市民が「市民コレクティブ」を各地でつくり、政党員に限らない候補者名簿を作成し始めていた。

その運動を加速させたきっかけの一つは、2018年から19年にかけて全国に広がった「黄色いベスト運動」だ。燃料税を引き上げ、得られた財源を気候危機対策に使うという政策に、運送系の労働者や低所得者が猛反発した。しかし彼らは決して気候危機対策そのものに反対しているわけではない。「環境を守る」と言いながら、労働者や低所得者にその負担を強いる。その一方でマクロン政権は、富裕層や企業の脱税を黙認し、企業の減税をしている。その不公正さに怒りが爆発したのだ。

この運動は、その後学生たちの気候危機対策を求める学校ストライキにつながっていくが、やはりここでも気候危機対策への「公正なトランジション（移行）」がアピールされ、社会正義の重要性が強調された。さらに、#MeTooから始まった女性への暴力に対する抵抗運動、マクロン政権の年金改悪に反対する2019年末のゼネストも、権力や不正義に対する大きな怒りとなって噴出していた。

こうした大きな社会運動のうねりの中で、地域でのミュニシパリズムの運動も発展していった。どの市民コレクティブも、「緑（エコロジー）」を中心課題にしつつ、「社会正義」と「地域の民主主義」を柱にした政策を議論し、生活の政治をどうやって実現するかを考えてきた。

フェミニズムや多様性の尊重もミュニシパリズムの政治の重要なテーマだ。市民は政策課題としてだけでなく、自らが関わる市民コレクティブの運営方法そのものにフェミニズムの視点を埋め込み、実践しようと努力してきた。どの自治体でも候補者リストには政党や組織に属さない市民が加わり、また黄色いベスト運動やATTACフランスなどの左派の社会運動、フランス労働総同盟（CGI）などの労働組合が加わる例もあった。最終的に、全国で1324人のミュニシパリスト（地域自治主義を掲げる候補者）が当選。66の市民コレクティブは第1党になって勝利を収めた。

この結果は、マクロン大統領に手痛い評価を突きつけることとなった。選挙の翌日、大統領は演説で自身の政党の敗北を認めた上で、150億ユーロをフランス版グリーン・ニューディールの新たな予算として計上することを約束した。黄色いベスト運動から続く大きな社会運動の力が地方の政治勢力を塗り替え、マクロン政権を社会正義と緑の政治に向かって突き動かすことになった。

成果を上げるフランスの自治体の取り組み

ミュニシパリズムの政治が大健闘したフランス地方選挙で、実際どのような運動が行われ、また自治体はどのような取り組みをしてきたのか。多くの事例のうち二つを紹介しよう。

まずは、人口86万人、フランス第三の都市であるマルセイユだ。新市長になったのは、ミシェル・リュビロラという女性。マルセイユでは、5つの左派政党と5つの市民派組織（地域組織を含む）が参加して、市民コレクティブをつくった。この市民コレクティブが候補者リストを作成していくのだが、マルセイユのユニークな点は、市民への呼びかけ方だった。

政党や市民団体が選挙に関わることはよくあるが、組織に属さない個人や労働者階級の家族にとって選挙は敷居が高い。そこでマルセイユの市民コレクティブは、「チキン（鶏肉）作戦」を考えた。たとえばコミュニティセンターで鶏肉料理を作り、近所の人に来てもらって一緒に食べるのだ。その中で仕事のことや治安、環境など身近な課題について一緒に話し合い、どうやってマルセイユを「希望の町」にしていくかを議論する。チキンは生活の象徴であり、生活は政治そのものであるというメッセージだ。

また、市民コレクティブの選挙時のスローガンは、「馬鹿になって政治を信じてみようぜ！」というものだった。市民の間には、「自分には関係ない」「どこに投票しても変わらない」という政治不信やあきらめがあるが、それを跳ね返すような軽快で親しみやすいメッセージだ。このようにして市民コレクティブは地域で活動を広げ、選挙活動を展開し、ミュニシパリズムの市長を誕生させた。

次は、フランス南東部、人口16万人のグルノーブルだ。

同市はヨーロッパのミュニシパリズムの先駆的な自治体であり、今回の選挙でも緑の党の市長であるエリック・ピオールが再選を果たした。バルセロナの影響を受け、2014年の前回選挙の際、グルノーブル・コモンズという市民コレクティブをつくり、候補者名簿のうち半分は緑の党など政党から、半分は市民から選出するという方法で戦い、勝利した。

ピオール市長の前のグルノーブル市政は、右派政権が続き、1983年には縁故主義のもとで水道民営化がなされ、市長とグローバル水企業スエズとの間での汚職も明るみに出た。こうしたことが問題となり、同市では2001年に水道の再公営化を果たしているのだが、その後、水道料金は据え置きながら施設への投資を3倍に増やしたり、水道料金が世帯収入の2・5%を上回る家庭には料金を還元、さらに利用者委員会を設置し、市の水道事業の意思決定に利用者（住民）を参画させるなど、先進的な取り組みをしてきている。

水道再公営化の後、グルノーブルをエネルギー分野の民主的な実験都市に変革しようと立候補し当選したのがピオールだ。100%地元産の再生エネルギーによる、分散型地域暖房ネットワークを2030年までにつくることを目指している。加えて、公共住宅の熱効率を改善するためのリノベーションに助成金を出すことも始めた。

この取り組みは一見、地味に見えるが、実は非常に重要な政策である。低所得者が住む公団などは熱効率が悪く電気料金が高い傾向がある。こうした住宅を中心に公費でリノベーションを進めれば、エネルギー使用量を削減できるだけでなく、低所得者の家庭の電気料金も下げられる。つまりエネルギー削減と社会的正義（＝エネルギー貧困をなくすこと）を同時に果たせるというわけだ。

さらに、市内のすべての学校給食の食材を地元産の有機野菜へ転換したり、歩行者中心のまちづくり、

市民プラットフォーム「グルノーブル・コモンズ」の選挙キャンペーン。選出された候補者の多くが当選した
©Minim・Municipalism Observatory

巨大な広告の禁止を行った。また市の予算の一部分を、住民からの提案・投票によって決める参加型予算を導入したり、２０００票を集めれば住民投票ができるという垣根の低い基準に変えるなど、直接民主主義的な統治方法も取り入れてきた。

ピオール市長は「いままで政治は、地方も国も、政権をとった政党の間で権力をやり取りしているだけ、権力の場所が変わるだけだった。我われは、政策と政治の所有権は常に市民にあるという考えに基づく市政を行う」と言う。これこそがミュニシパリズムの精神である。

東欧にも広がるミュニシパリズム

近年、ミュニシパリズムは東欧にも広がりつつある。現在東欧では、ハンガリーのヴィクトル・オルバン首相やチェコのアンドレイ・バビシュ首相など、強権・独裁的で非民主主義的なリーダーたちが幅を利かせている。こうした国ぐにで、ミュニシパリズムの潮流が起こる背景には何があるのだろうか。

そこには、EU全体の方針と予算配分の仕組みの問題がある。

2019年12月、社会と産業構造を脱・低炭素に転換するために巨額の公的資金を含む1兆ユーロを調達・投入するヨーロッパのグリーン・ニューディール政策が発表された。この予算の一部は、加盟国の政府に配分される。つまり資金を受け取るのは常に国家であり、自治体ではない。

東欧諸国の気候危機政策を見ると、たとえば石炭産業をかかえるポーランドは非常に消極的だ。ハンガリーはEU資金を受け取っている最大国の一つだが、オルバン政権は巨額のEU資金を自分に関係する企業に入札させ発注するなど典型的な縁故主義の政治を行い、EUの不正対策局の監査も受けている。チェコのバビシュ政権も、常にEU資金が首相の汚職につながっているとの懸念を持たれている。

また、排他主義・反移民のオルバン政権は、自身の意に沿うようにメディアや教育、司法に介入し、今回の新型コロナウイルスの感染拡大に際しても無制限の緊急事態宣言を発表。そのもとで政権に批判的なジャーナリストを弾圧してきた。

こうした国家権力のあり方に、自治体の首長たちが立ち上がったのだ。たとえばワルシャワ市長ラファール・チャスコフスキ、ブダペスト市長のゲルゲイ・カラーチョニ、プラハ市長のズデニェク・フジブなど、東欧各国の首都で市長を務める若い政治家たちだ。彼らは、欧州委員会・欧州議会・欧州評議会に対して、「EU資金の一部を、国家を介さず直接自治体が受け取れるようにしてほしい」という主旨の公開書簡を送った。

要するに、気候危機対策やコロナ対策をやる気もない国家のトップに資金を与えても、国民のために使われないどころか、汚職に回る危険性もある、それならば住宅や交通、中小企業支援、地域のインフラづくりなど、住民にも恩恵のあるきめ細かな気候危機対策をこれまでも行ってきた自治体に直接振り向けてほしい、ということだ。この書簡はヨーロッパの35の自治体からも支持されており、今後も注目すべき自治体の動きだ。

公共の力と未来――国・企業と闘う自治体の可能性

最後に、公共サービスとミュニシパリズムとの関係についてふれたい。

私たちは大学の研究機関や労働組合とともに、２０１０年から継続的に世界の公共サービスの再公営化の事例を調査し、報告書にまとめている。

ヨーロッパでも他国でも、過去30～40年の新自由主義のもとで医療や教育、介護、福祉、社会サービス、水道、通信、電気などの公共サービスが次つぎと民営化されてきた。民営化には、アウトソーシングや包括委託、官民連携（ＰＰＰ）などさまざまな手法が含まれるが、いずれも短期的な利益と効率を最優先させる政策だ。

しかし多くのケースで、民営化は失敗し、民主主義を後退させてきたことが分かっている。２０１０年以降は、一度民営化された公共サービスを、自治体や市民の力で再び公営化する動きが加速し、最新の調査（19年）では、世界で１４０８件の再公営化の成功事例を確認することができた。加えて、今回のコロナ危機で、地域の公的医療や教育、介護、福祉、水道、ごみ収集などの公共サービスがいかに重要か、多くの人が痛感させられた。

このことを考えたとき、私たちがこれからどのような方向を目指すべきかが見えてくるのではないだろうか。すなわち、公共財を住民や地域の雇用、そして気候危機対策へと活かし、住民や自治体がそれを管理することが、実はコロナ禍などの危機に最も強いコミュニティをつくるということなのだ。これは、ミュニシパリズムが目指す方向性とも一致しており、実際、ミュニシパリズムを実践するほとんどの自治体で、公共サービスの再公営化は共通戦略として位置づけられている。

多くの国で、中央政府はいまなお新自由主義の方向を向き、企業に有利な枠組みを上から自治体に押しつけようとする。またEUは緊縮財政を各国に押しつけ、地方自治体はがんじがらめの状態にある。また経済の低迷や失業などに対する人びとの不満が、右派勢力にからめとられてしまう危険も常にある。だからこそ、地方自治体や市民は、より主体的に、そして果敢に国や企業と対峙し、生活の政治を実現していかなければならない。フランス地方選挙の結果が表すように、地方政治が国を包囲することで、国レベルのアジェンダ(課題)の軸を大きく変えていけることが証明された。このように自治体はゲームチェンジャーになれるし、ミュニシパリズムの政治の希望は、そこにこそある。

地域という希望
――学校給食を核にした都市農村共生社会を

大江正章

新型コロナウイルスの感染拡大は、私たちに都会暮らしの危うさを突きつけた。同時に、田舎暮らしの強さ、確かさが明らかになった。

たとえば、2020年5月末時点での感染者は、圧倒的に東京や大阪などの大都市に集中し、本州で最も人口密度が低い岩手県ではゼロであった。他の農山村も共通して感染者は少なく、感染者が少ない道府県は、おおむね食料自給率が高い。今回、日本では食料不足など深刻な事態には至らなかったものの、ひとたび食料危機が起これば、都市は農村より打撃を受ける。つまり人が生きていく条件として、どちらが安全かつ強靭なのかは明らかだ。

いま、コロナ禍を経験した私たちに必要なのは、農山村における中小の兼業農家や新規就農者を含めた新しい地域のあり方、そして都市と農村が互いに協力し、ケアをしあっていくような「都市農村共生社会」への明確なビジョンだろう。

その際に注目すべきは、各自治体での地域づくりの核として広がりつつある、学校給食の有機化の動きだ。学校給食の無償化・有機化の先進自治体である韓国・ソウル市の事例、そして日本での自治体の実践からその意義と可能性を考えてみよう。

日本の学校給食の状況

まず、日本の学校給食の概況を見てみる。

学校給食の仕組みには、各学校で給食を調理する「直営」あるいは「自校式」と言われるもの、民間に外部委託するもの、そしてセンター方式がある。

かつては日本でも自校に給食の調理場があるのは当たり前のことだった。しかし1980年代、中曽根政権の行政改革と「民活路線」の導入方針に伴い、外部委託とセンター方式が急増していった。90年にはわずか5・2％だった委託率が、2018年には50・6％となり過半数を上回った。給食に限らず、清掃などの公共サービスを含め2000年以降、急速に民間委託が進んだのだ。

学校給食が民間委託されることの問題点はさまざまある。

まず職員はほとんどが低賃金、不安定雇用だ。学校のない夏休みなどは仕事がなくなってしまう。また一括調理であるため、出汁をとるなど時間をかけた調理がしにくく、その結果、味も低下し添加物も増える。さらに、直営の場合は自治体職員・教職員が教育的観点をふまえた献立作りや食材調達を行うが、民間委託ではそれもおろそかになりがちだ。発注者（行政）と受注者（民間）という上下関係となり、児童・生徒への思いも蓄積されていかない。

次に無償化の実態だが、日本で無償化の要望が起こってきたのは最近のことだ。文部科学省は2017年に初の実態調査を行っている。これによると、全国1740自治体（市町村）のうち小中学校とも無償化している自治体はわずか76件、小中どちらかのみ無償化は6件で、合計82自治体（4・7％）のみであった（文部科学省『平成29年度の「学校給食費無償化等の実施状況」（中略）の調査結果について』）。

無償化が求められる背景には、子どもの貧困がある。２０１５年の子どもの貧困率は13・９％で、以来現在まで15％程度だが、学校給食はこうした子どもたちの食生活を支えている。夏休みが明けると子どもが痩せていたという現象は、そのことを象徴している。

一方、韓国では小学校・中学校・高校とも１００％が直営の「自校式」である。２０１６年で全国の無償化比率は74・３％である。韓国での無償化は、憲法第31条の「義務教育は無償とする」という条文を根拠とし、「人権の保障」ととらえられているのだ。考えなければならないのは、学校給食の無償化が持つ本質的な意味である。つまり、教育・福祉・医療など私たちの日常生活に不可欠な分野を公費で支える普遍主義を選ぶのか、それとも所得に応じて負担を求める選別主義を選ぶのかという政策選択の問題である。ソウル市も韓国全体も前者の考えに立っているが、日本は後者の選別主義を採用している。ここに日本の大きな課題がある。

学校給食の有機化を実現したソウル市――キーワードは「都農相生」

２０１９年現在、ソウル市内で学校給食に有機農産物（韓国では「親環境農産物」という）を導入している比率は、小学校で８割、中学校６割、保育園や地域児童センターなどでの公共給食で３割強だ。21年度までに小学校・中学校・高校で１００％、22年度までに公共給食で70％以上にすることが目指されている。

ソウル市も東京と同じく大都市であり、農業は決して盛んではない。にもかかわらず、なぜここまで有機化を進めることができたのだろうか。それは、「有機農産物を使用した給食は、給食政策のみならず市民の幸せにつながる」というように、社会・経済政策としてしっかり位置づけられているからだ。

背景には、長年にわたる市民運動の力がある。2010年3月、2200もの市民団体が結集して「親環境無償給食草の根国民連帯」を発足させ、自治体選挙で無償給食を公約にさせる政策キャンペーンを展開した。選挙ではこれらの公約を掲げた候補者が多く当選した。

このとき、親環境無償給食に関する5大スローガンが掲げられた。親環境無償給食は「教育」であり、「普遍的福祉の実現」であることや、「地域経済を活性化」させること、特に「親環境農業を拡大」させ、それが「子どもたちの幸せ」につながるとされた。つまり、学校給食の有機化によって有機農産物のニーズが増え、生産者も増えていく。それは韓国の有機農業の発展につながるというように、経済政策・農業政策としても位置づけられていることが重要なのだ。

その後、ソウル市は故・朴元淳（パク・ウォンスン）市長のもと、2012年には「ソウル特別市親環境無償給食などの支援に関する条例」を制定。さらに「都農相生公共給食事業」を掲げた。「都農相生」とは、日本語で言えば「都市農村共生社会」である。その目的は、残留農薬や放射能汚染など食べ物の安全性への市民の不安を解消し、給食がなかった保育園や地域児童センターへも新たに提供すること、また人口減少と高齢化が加速する農村の衰退を防ぐために、給食への食材提供という新たな所得をもたらし、中小農家を強くしていくことだ。

実際には、市内25の自治区が有機農家のいる地方の自治体と1対1の契約を結び、有機農産物を調達している。契約相手は、農協や農業者団体の場合もあるが、生産者との直接取引によって安全な農産物を適正価格で手に入れることが可能だ。現在、有機農産物全体の流通のうち39%を学校給食が占めている。学校給食は確実に有機農業の拡大につながっていると言える。

表1　ソウル市の学校給食に関する5大原則

1．公共給食を通してソウル市民に健康で安全な食を提供する。
2．持続可能な食を媒介に、生産者と消費者が信頼し合う社会的関係網（セーフティネット）を形成する。
3．中小家族農家中心の生産-調達体系を構築し、都農相生（都市農村共生社会）を実現する。
4．教育を通して農業の生態的価値と食の大切さを向上させる。
5．民・官の協力のもとに差別化された関係市場をつくり出す。

（出典）各種資料から筆者作成

ソウル市が掲げた、学校給食に関する5大原則（表1）は、まさに学校給食の政策を超え、地域経済や有機農業の推進までを含む、幅広い文脈の政策体系となっている。

ここでの一番の鍵が、「都市農村共生社会」の実現だ。この5年ほどで、韓国でも田園回帰や半農半Xの動きが顕著だ。大規模農業の後継者が有機農業をやるケースはあまり多くないが、小規模農業あるいは新規就農者は、圧倒的に有機農業を志している。こうした流れの中で、都市農村共生社会を実現するための核として有機農業が位置づけられ、さらに学校給食が有機農業推進の大きなエンジンとしてはっきり打ち出された。

ソウル市のこうした動きは、韓国政府の農業政策の大転換とも連動している。韓国では1997年に親環境農業規制法が制定された。日本の有機農業推進法の制定は2006年であるから、日本より約10年も早くに有機農業推進の法律ができている。また01年には有機農産物の認証制度も始まった。そして、特に19年以降、大統領の諮問機関である農漁村・農漁業特別委員会が主導し、さまざまな改革が行われている。これまでの規模拡大・施設化の方向ではなく、農業・農村の持つ社会的・環境的機能を発揮していくことこそが農政の最重要課題とされ、経済成長至上主義から、「農漁民の幸せこそ、国民の幸せ」をスローガンとした国民総幸福（GNH）実現へと舵が切られた。まさにソウル市の取り組みと響き合う政策だ。

日本でも実現は可能だ

日本ではどうだろうか。実際、無償化への動きもまだ弱く、有機農産物を使用した学校給食の事例は非常に少ない。農林水産省は相変わらず輸出やIT化などの政策を重点化しており、地方議会選挙で学校給食の無償化・有機化が大きな争点になることも稀である。ソウル市と比べれば雲泥の差のように見える。

しかし、「日本では無理だ」「有機農家はごくわずかで、学校給食への安定的供給は不可能だ」と、決して思わないでほしい。日本でも学校給食の有機化は可能であるし、実際に成功例もある。

その代表例は、千葉県いすみ市だ。人口3万8000人の同市の基幹作物は米であるが、米農家は米価下落の影響を大きく受けてきた。65歳以上の農家割合は全国平均を約10ポイントも上回り、耕作放棄地も増加の一途だった。有機農業が盛んな自治体でもなく、2012年時点で無農薬米の販売農家はゼロだった。

こうした中、太田洋市長や自治体職員には「なんとか地元の農業を元気にしたい」という思いがあった。さまざまなプランを模索するうち、堂本暁子元千葉県知事（2005～09年）が日本で初めて掲げた地域戦略としての「生物多様性保全」に着目した。市は「夷隅（いすみ）川流域生物多様性保全協議会」を設立し、多くの環境団体や市民団体とともに地域の里山や海岸の環境保全に取り組んできた。ここで市民から有機農業の重要性についてインプットされた市長は、いすみ市で有機農業を推進するための職員を採用し、農業政策の中に有機農業を位置づけた。

実は、太田市長が農家出身ではなく、県職員時代も農政にはまったく関わっていなかったことが幸いした。市長はいわば「農業の素人」だったからこそ「有機農業は難しい」との思い込みもなく、地域を活性化させたいという思いと有機農業を素直に結びつけることができたのだ。採用された職員は、移住者でありサーファーでもある人物だった。彼も農業者ではなかったが、半農半X的な感性を持ち生活しているような、実に意欲的な若者だった。

その後、いすみ市は2018年7月に「第5回生物の多様性を育む農業国際会議（ICEBA）2018」の開催地にもなり、市民にも有機農業の重要性が伝わっていった。職員は、従来の慣行農法（農薬や化学肥料を使う農業）を行う大規模農家に対して、水田の一部を有機農業に転換しようと働きかけもした。

重要なのは、このとき安全性をその理由にしなかったことだ。慣行農法を行う農家に有機農産物の安全性を訴えれば、「俺たちが危険なものを作っているというのか」と必ず反発され、敵対関係が生まれてしまう。そうではなく、あくまで「有機農業をやれば地域が元気になるはずだ。だから一緒にやりましょう」と説得したところに、いすみ市行政の優れた点がある。

こうして、行政、農家、そして市民の持つ思い込みやあきらめを取り除き、いすみ市での有機農業と学校給食の有機化は一気に加速した。大規模農家が水田の一部を有機農業に転換し始めた後、2015年度には初めて4トンの有機米が学校給食に使われた。その3年後の18年には、学校給食で使う米の全量を地元産の有機コシヒカリにすることができた。現在は約2500人分（教員を含む）、週5回の米飯に42トンを供給している。着手からわずか数年間ですべてを有機米に切り替えられたことは快挙と言っていい。さらに移住者や小規模農業者が中心になって、有機米だけでなく有機野菜を学校給食に提供しようとする取り組みも生まれている。

学校給食の有機化をきっかけに、いすみ市では移住者が明らかに増えている。人口の自然減は止まっていないものの、その速度はゆるやかになり一定の歯止めがかかった。いま地域づくりの分野では、「にぎやかな過疎」という現象が注目されている。人口は減っているが、移住者や若者、地元の人びとが一緒になり、何かいろんな動きがザワザワとあって地域が元気になっている。そこには必ずと言っていいほど、おしゃれなカフェや農家レストラン、そして有機農産物がある。いすみ市はにぎやかな過疎の典型となっている。

有機農業を通し地域主義を実現する

学校給食の有機化について、総論として反対する人はいないだろう。地元の安全な食材が給食に使われることは保護者も大歓迎であるし、農業者も自分たちが作った安全・安心な米や野菜を地域の子どもたちに食べてほしいと願っている。行政にとっても地域が元気になることは良いことだ。

実際、いすみ市のほかにも、地場産の有機農産物を学校給食に取り入れる事例は少しずつ広がり、その効果も目に見えてきている。たとえば愛媛県今治市では1980年代前半から学校給食の有機化に取り組み、実現してきた。いまでは有機農産物の給食・食事を出している保育園や産婦人科医院には、「食事が安全でおいしいから」という理由で通う児童や妊産婦が増えている。

実は日本でも、非農家出身の新規就農者は増加している。毎年全国で約3000人の非農家出身者が農業という仕事を選択している。この傾向は80年代まではまったく見られず、90年代で年間数百人、2000年代もせいぜい1000人程度であった。またこれら新規就農者たちは、49歳以下が70％以上と圧倒的に若く、そしてほぼ全員が有機農業に関心がある。

2019年10月、ソウル市の有機農業に関する調査ツアー（日韓市民交流を進める希望連帯・白石孝さんの企画による）。筆者を含め地方議員や市民活動家など17名で訪問。ソウル市江東区の都市農業支援センターでは、職員のレクチャーを受け、ソウル市の有機農業推進や学校給食の有機化の取り組みを学んだ。
上は同センター１Fの「ローカルフード・ショップ」の前で
左は筆者　写真提供：片山薫

時代は確実に有機農業に向かっているのだが、最大の問題は、日本の農業政策の中で有機農業そして学校給食の有機化についての明確な位置づけがなされていないことだ。

韓国では、親環境農業を「生物の多様性増進、土壌の生物的環境と活動の促進、農漁業生態系を健康に保全するために健康な環境で農水産物を生産する産業」と定義し、単に安全性や付加価値だけを強調するのではなく、環境を守るための持続可能な農業だとしっかり位置づけている。

同時に、『ソウル市親環境無償給食成果白書』（２０１７年）には、次のように書かれている。

「学校給食は、全国各地の中小家族農業者の希望となっている。学校給食を通した持続可能で安定的な食と農の関係づくりは、農場から食卓に至る全過程を顔が見える生産と消費構造に転換し、都市と農村の信頼関係の回復に寄与している」

いまの田園回帰の流れと、有機農業には非常に強い親和性があり、軌を一にしている。移住者たちは農業者だけでなく、ＩＴ関係の仕事や自営業の人も多い。そのほとんどが食べ物の部分的自給に関心があり、なおかつ実践をしながら「にぎやかな過疎」を生み出している。彼・彼女ら、それを受け止めようとする地域の農家や住民、地場企業、さらにこうした動きを政策に活かしていこうとする自治体の首長と職員こそが、経済成長一辺倒のあり方を変えるゲームチェンジャーになれる。

１９７０年代、経済学者の玉野井芳郎は地域主義の重要性を説いた。地域で生きる生活者たちが、その自然・歴史・風土を背景に、地域社会や地域共同体に対して一体感を持ち、政治・経済・社会・文化を含めて地域の側から発信していくことだ。住民の実行力によって地域の個性を活かしきる産業と文化を内発的につくり上げると言うこともできる。

いま農山村に人を呼び込み、活気ある地域をつくろうとするとき、核となるのは有機農業しかない。コロナ禍からの復興という意味でも、有機農業を通して地域主義を実現することが重要であると、はっきり打ち出していくべきだ。そして、都市がそうした農山村に共鳴していくような共生社会を、私たちはつくらなければならない。

希望は地域にある。

おわりに

新型コロナウイルスの感染拡大が起こった2020年初めから、気がつけばもう1年が過ぎた。この間、各国政府はロックダウンと解除を繰り返し、また国境を越える人の流れを閉じたり開いたり、そして事態は熾烈なワクチン開発競争とその奪い合いというステージに移っている。

パンデミックに際して、「完璧な」判断と政策遂行ができる政府などは存在しない。だからこそ、政府には科学的な根拠を持った説明責任が求められ、同時に現場で起こっていることをすくい上げ、失敗したらすぐに軌道修正をするという胆力・機動力が問われ続けている。

私の敬愛する女性の一人、インドの作家で活動家でもあるアルンダティ・ロイは、2020年3月以降のインドにおける感染爆発と、それに伴って起こったロックダウン、食料の不足、医療アクセスへの遮断、政府の抑圧と暴力という一連の事態を前に、「これは、ある種の爆発物の上に座っているような危機だ」と語った。

多くの国で、形や量は異なっても本質的に同じ混乱と危機が起こった。それから1年が経ったいまも、私たちはロイの言うところの「爆発物」の上に座って先行きの見えないまま進んでいる。

一方、ロイはまた、コロナ禍を経た未来への提言として次のようにも述べている。

「歴史的に見ると、人間はパンデミックによって過去と決別し、世界を新たに思い描くことを余儀なくされてきた。今回も例外ではない。これは一つの世界から次の世界への扉であり、入り口なのだ」

この言葉はまさに本書が目指すところとも一致し、また大きな指針にもなった。1年が経過した現在、改めて多様な立場・考えを持つ市民社会のそれぞれが、政府・メディア・そして自身の行為を検証し、改善を目指すとともにより根本的な社会変革を提案していく時期ではないだろうか。気候危機と生態系の破壊、貧困と格差、民主主義の危機、差別など、コロナ・パンデミックを含め、私たちは多くの危機に直面している。誰もが「生きること」「生かされていること」の意味を考えさせられたこの1年を、次の世界の扉にしなければならない。

本書は、アジア太平洋資料センター（ＰＡＲＣ）が２０２０年5月から行った連続オンライン講座をまとめたものだ。各人の発した問題と未来への提言は、課題の本質を改めて追求し提起している。講演録を本書に所収することを快諾いただき、また時間のない中で校正などにご協力いただいた10人の方に改めて御礼を申し上げたい。

もう一つ、本書の出版には理由がある。

２０２０年12月15日、ＰＡＲＣの共同代表だった大江正章さんが亡くなった。大江さんは30年来、当センターの会員、理事として活動してくれた。またジャーナリストとして、出版社コモンズの代表として、農や食、地域、アジアと日本のつながりについて提言を行ってきた。我われを含む多くの仲間が喪失感を抱き続ける中、本書を、今後も出版社として継続していくコモンズからの最初の一冊とさせていただいた。

編集・制作は、企画からわずか3カ月という異例のスピードで行われた。原稿作成は内田が行い、編集は、大江さんがかつて学陽書房に勤務していた時代からの同僚編集者である星野智恵子さんが担ってくださった。厳しいスケジュールの中、丁寧な編集をしてくださったことには感謝しきれない。またコモンズの浅田麻衣さんには、進行管理や広報で多大な貢献をいただいた。コモンズの新代表である大江孝子さんには、各原稿を細かく校正・校閲いただいた。このメンバーのチームワークがなければ予定通りの刊行は不可能だっただろう。

大江正章さんの原稿は、2020年9月末にオンラインでお話いただいた韓国の有機農業と学校給食についての講演を基にしている。闘病中の身体を押して、また自宅から不慣れなインターネットを使って、しかしいつもの大江さんらしく熱い想いを存分に語っていただいた。PARCの活動の中でも、人と人が出会い、考えや生き方を変えることができる場としての自由学校に強い愛着を持ち、企画・運営に参画してくれた大江さんの最後の講演録を、ぜひ多くの方に読んでいただきたい。

私個人としては、完成間際になって、果たして本書が大江正章さんから及第点をもらえるものになっただろうか?と不安に思うところが大きい。だが、登場いただいた各著者の提言は、「次の世界の扉を開くメッセージ」であることを確信している。その意味で、大江さんとはもちろん、多くの方がたとこれからの希望を共有できるものだと考えている。

最後に、本書が今後のコモンズへの大きなエールになることを願う。

2021年3月

著者を代表して

内田聖子

斎藤幸平（さいとう・こうへい） **第3章**
1987年生まれ。大阪市立大学大学院経済学研究科准教授。専門＝経済思想、社会思想。主著＝『大洪水の前に――マルクスと惑星の物質代謝』（堀之内出版、2019年）、『人新世の「資本論」』（集英社新書、2020年）、編著＝『未来への大分岐――資本主義の終わりか、人間の終焉か?』（集英社新書、2019年）など。

内田聖子（うちだ・しょうこ） **第3章**
1970年生まれ。NPO法人アジア太平洋資料センター（PARC）代表理事、NPO法人日本国際ボランティアセンター（JVC）理事。WTOはじめ自由貿易協定・投資協定のウォッチと提言を行う。共著＝『自由貿易は私たちを幸せにするのか？』（コモンズ、2017年）、『TPP・FTAと公共政策の変質―― 問われる国民主権、地方自治、公共サービス』（自治体研究社、2017年）、編著＝『日本の水道をどうする!?――民営化か公共の再生か』（コモンズ、2019年）など。

井田徹治（いだ・てつじ） **第3章**
1959年生まれ。共同通信社編集委員兼論説委員。共同通信社に入社後、環境と開発の問題を長く取材、気候変動に関する政府間パネル総会、ワシントン条約締約国会議、環境・開発サミット（ヨハネスブルグ）等、多くの国際会議も取材。主著＝『生物多様性とは何か』（岩波新書、2010年）、『次なるパンデミックを回避せよ――環境破壊と新興感染症』（岩波科学ライブラリー、2021年）、共著＝『グリーン経済最前線』（岩波新書、2012年）など。

岸本聡子（きしもと・さとこ） **第3章**
トランスナショナル研究所（TNI）経済的公正プログラム、オルタナティブ公共政策プロジェクト研究員。水の商品化、水道民営化に対抗し、公営水道サービスの改革と民主化のための政策研究、キャンペーン、支援活動をする。近年は公共サービスの再公営化の調査、アドボカシー活動に力を入れる。主著＝『水道、再び公営化！――欧州・水の闘いから日本が学ぶこと 』（集英社新書、2020年）など。

大江正章（おおえ・ただあき） **第3章**
1957年生まれ。コモンズ代表、ジャーナリスト、NPO法人アジア太平洋資料センター（PARC）共同代表。専門＝地域社会論。主著＝『地域の力――食・農・まちづくり』（岩波新書、2008年）、『地域に希望あり――まち・人・仕事を創る』（岩波新書、2015年、農業ジャーナリスト賞受賞）、『有機農業のチカラ――コロナ時代を生きる知恵』（コモンズ、2020年）。2020年12月15日逝去。

■著者紹介■

藤原辰史（ふじはら・たつし）**第１章**
1976年生まれ。京都大学人文科学研究所准教授。京都大学人文科学研究所助手、東京大学大学院農学生命科学研究科講師を経て現職。専門＝農業史、食の思想史。主著＝『ナチスのキッチン――「食べること」の環境史』（共和国、2016年）、『給食の歴史』（岩波新書、2018年）、『分解の哲学――腐敗と発酵をめぐる思考』（青土社、2019年）、『縁食論――孤食と共食のあいだ』（ミシマ社、2020年）など。

中山智香子（なかやま・ちかこ）**第１章**
1964年生まれ。東京外国語大学大学院総合国際学研究院教授、NPO法人アジア太平洋資料センター（PARC）理事。専門＝社会思想史、経済思想。主著＝『経済ジェノサイド――フリードマンと世界経済の半世紀』（平凡社新書、2013年）、『経済学の堕落を撃つ――「自由」vs「正義」の経済思想史』（講談社現代新書、2020年）など。

姜　乃榮（かん・ねよん）**第２章**
地域ファシリテーター、韓国・慶熙大学フマニタスカレッジ講師。地域をベースにしていろいろな分野をつなぎ融合して課題を解決していくことに関心がある。共著＝『地域共生社会の実現とインクルーシブ教育システムの構築――これからの特別支援教育の役割』（あいり出版、2017年）、『躍動する韓国の社会教育・生涯学習――市民・地域・学び』（エイデル研究所、2017年）。

下郷さとみ（しもごう・さとみ）**第２章**
ジャーナリスト。主にリオデジャネイロのファベーラをフィールドにブラジルの民衆運動を取材。NPO法人熱帯森林保護団体に協力してアマゾン先住民族の支援にも携わる。農的生活を求めて2005年に東京から房総の過疎の農村に移住。先住民族の集落を訪ねるたびに「ここも里山だ」と実感している。主著＝『平和を考えよう』全2巻（あかね書房、2013年）、共著＝『抵抗と創造の森アマゾン――持続的な開発と民衆の運動』（現代企画室、2017年）など。

稲場雅紀（いなば・まさき）**第２章**
1969年生まれ。90年代前半に横浜の日雇労働者の町・寿町の日雇労働組合の医療班の事務局を務めて以降、当事者や市民社会の立場から政策提言の活動に取り組む。2002年よりNGOアフリカ日本協議会の国際保健部門ディレクター。16年にSDGs市民社会ネットワークを設立、代表理事、専務理事などを歴任。共著＝『「対テロ戦争」と現代世界』（御茶の水書房、2006年）、『SDGs――危機の時代の羅針盤』（岩波新書、2020年）など。

■各執筆者の講義一覧■ ―(掲載順)

藤原辰史	2020年5月29日	パンデミックを生きる指針 ――復興へ向けた希望のありか
中山智香子	同上	同上
姜乃榮	2020年5月6日	COVID-19を封じ込めた韓国の底力 ――市民社会の活動から選挙結果まで
下郷さとみ	2020年5月22日	ブラジル、アフリカから見たCOVID-19 ――"命か、経済か"の二元論を超える民衆運動からの提起
稲場雅紀	同上	同上
斎藤幸平	2020年12月18日	大洪水の前に ――グレタさんとマルクスから「気候危機」を考える
内田聖子	2020年5月1日	COVID-19が問う貿易・食料問題 ――日本と世界の農業、自由貿易協定の行方は？
井田徹治	2020年7月19日	コロナ時代を生きるビジョン ――グリーン・リカバリー最前線
岸本聡子	2020年8月19日	欧州に広がるミュニシパリズム ――バルセロナの地域政党と直接民主主義
大江正章	2020年9月29日	食と農を結ぶ ――学校給食を有機農産物・無償に転換したソウル市

※本書はPARC自由学校の上記講座での講演を基に作成した。

コロナ危機と未来の選択

2021年 4 月25日●初版発行

編者●アジア太平洋資料センター

発行所●コモンズ

東京都新宿区西早稲田2-16-15-503
☎03-6265-9617 FAX03-6265-9618

振替　00110-5-400120

info@commonsonline.co.jp
http://www.commonsonline.co.jp/

編集●星野智恵子（冬芽工房）

印刷・製本／加藤文明社

乱丁・落丁はお取り替えいたします。

ISBN 978-4-86187-169-6 C0030